D1199049

Mon premier livre de contes de Noël

Corinne De Vailly

•••

Illustré par Benoît Laverdière

Les Éditions
Goélette

© Les Éditions Goélette, Corinne De Vailly, Benoît Laverdière, 2012

Dépôt légal : 4ᵉ trimestre 2012
Bibliothèque et Archives nationales du Québec
Bibliothèque nationale du Canada

Les Éditions Goélette bénéficient du soutien financier de la SODEC
pour son programme d'aide à l'édition et à la promotion.

Nous remercions le gouvernement du Québec de l'aide financière accordée
par l'entremise du Programme de crédit d'impôt pour l'édition de livres,
administré par la SODEC.

 Patrimoine   Canadian
canadien   Heritage

Nous reconnaissons l'aide financière du gouvernement du Canada
par l'entremise du Fonds du livre du Canada pour nos activités d'édition.

 Membre de l'Association nationale des éditeurs de livres

Correction : Fleur Neesham, Geneviève Roux
Graphisme : Chantal Morisset

http://fr-fr.facebook.com/EditionsGoelette

Imprimé en Chine

ISBN : 978-2-89690-181-4

Corinne De Vailly

Benoît Laverdière

Corinne De Vailly est l'auteure des séries à succès *Celtina* (Les Intouchables) et *Emrys* (Les Intouchables), et des séries à saveur de fantasy-historique *Phoenix, détective du Temps* (Trécarré) et *Mélusine et Philémon* (Hurtubise).

Elle a commencé sa carrière d'écrivaine en publiant pour les 4-8 ans, *Miss Catastrophe* (Raton-Laveur) en 1993. Elle a ensuite fait un détour par le polar pour adultes avec le journaliste Normand Lester, pour revenir à son premier public en 2009 avec *Mon premier livre de contes du Québec*. Aujourd'hui, elle est heureuse de proposer le quatrième ouvrage de cette série de contes et légendes traditionnels, *Mon premier livre de contes de Noël*.

Avec le même illustrateur :
Mon premier livre de contes du Québec
Mon premier livre de contes du Canada
Mon premier livre de contes des 5 continents

Chez le même éditeur, pour les 8-10 ans :
À l'abordage, marins d'eau douce
Morgan, le chevalier sans peur
Morgan et les hommes des cavernes
Morgan et les fantômes du Forum

Autodidacte, **Benoît Laverdière** a derrière lui de nombreuses années d'expérience.

C'est en tant que graphiste, métier qu'il a pratiqué durant une dizaine d'années, qu'il a commencé sa carrière. Cette expérience l'a amené à la profession d'illustrateur, qu'il exerce maintenant depuis plus de vingt ans.

Depuis 1997, il illustre régulièrement des albums où l'on reconnaît son style humoristique et surréaliste qui plaît à tous les jeunes. Il compte bien continuer à travailler dans ce domaine qui le passionne.

Avec la même auteure :
Mon premier livre de contes du Québec
Mon premier livre de contes du Canada
Mon premier livre de contes des 5 continents

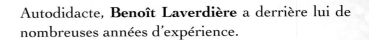

Introduction

Décembre chez Grand-Père, c'est le mois de la magie. Ses petits-enfants, Élie, Hadrien, Océane et Ulysse, n'attendent que les premiers flocons pour se précipiter chez lui.

Car chez Grand-Père, le son des clochettes, les lumières et les décorations multicolores, la neige qui couvre le jardin de son grand manteau blanc et scintillant ne sont pas les seules féeries qui attendent petits et grands.

Grand-Père possède un calendrier de l'avent bien spécial. Un calendrier où derrière chaque petite porte se dissimule un conte ou une légende de Noël, et parfois même une chanson pour se mettre dans l'ambiance des fêtes.

Ho, ho, ho ! Tu le reconnais ? C'est le père Noël, bien sûr ! Mais sais-tu qu'ailleurs dans le monde, il porte quelquefois le nom de Bonhomme Hiver ou de Grand-Père Gel ? Que les lutins sont parfois des elfes ou des nains, et que la fée des étoiles s'appelle Fille de Neige en Russie ? Allez, ouvre les petites portes une par une et laisse-toi emporter par la magie de Noël !

JOYEUX NOËL ! MERRY CHRISTMAS ! FELIZ NAVIDAD ! FRÖHLICHE WEIHNACHTEN ! GLÆDELIG JUL ! JWAYE NOWEL ! BUON NATALE ! VROOLIJK KERSTFEEST ! С РОЖДЕСТВОМ ХРИСТОВОМ ! WESOLYCH SWIAT ! GOD YUL ! NOLLAIG CHRIDHEIL ! BOAS FESTAS !

Corinne De Vailly | Montréal, décembre 2011

Table des matières

Le père Noël (Russie)

1er décembre

Élie ouvre tout doucement la première petite porte du calendrier de l'avent. Il s'empare du papier caché derrière un ourson en chocolat qu'il s'empresse de croquer.

– Grand-Père ! Raconte, raconte ! dit-il en tendant le papier au vieil homme qui se balance dans sa chaise berçante, au coin du feu.

« Cette nuit-là, un très grand roi, qui gouverne dans un pays froid et lointain, est installé tout en haut de son palais. Il est en train de regarder les étoiles dans le ciel. **Clic, clic, clic !** clignotent-elles, en s'allumant une par une.

Tout à coup, il en aperçoit une tellement belle et brillante qu'il en est tout ébloui. Il se frotte les yeux pour être sûr de bien voir. **Frouch, frouch, frouch !**

– Vite, je dois la suivre ! se dit-il. Elle va sûrement me conduire à l'endroit où est né le plus merveilleux des enfants.

En effet, depuis très longtemps, une légende dit que cette étoile, et elle seule, indiquera un jour la naissance d'un enfant étonnant, un Enfant-Dieu.

Le roi est tout énervé. Il court, court, court, jusqu'à la salle du trône où se trouvent sa femme et ses enfants. Il ouvre la porte à la volée, **ffffouh !** traverse la salle en glissant, **slisssssshhh !** et s'immobilise d'un coup sec, **grinnnn !**

– Je viens vous dire au revoir. Je vais suivre la plus belle étoile du monde pour voir
où elle va me conduire !

Toute la nuit, il fait ses bagages. On l'entend remuer ses affaires dans tout le château.
Bading, badang, badong ! Enfin, les bras chargés de cadeaux pour cet enfant mystérieux,
il est prêt à partir. Mais, quand il sort de chez lui, **clonk !** le jour a levé son rideau et l'étoile
a disparu.

Le roi est bien triste. Il pleurniche ! Des larmes coulent sur ses joues et dans sa grande barbe
blanche. **Plic, plac, ploc !** font-elles en tombant sur le sol et en gelant aussitôt.

– J'ai perdu mon étoile ! soupire-t-il.
Il réfléchit une seconde, ou deux – non, peut-être bien trois ! – avant de dire :
– Ah, tant pis ! Je vais chercher le merveilleux enfant sans aucun guide.

Il part alors sur la route avec son vieux renne.
Clic, clac, clic, clac ! On entend de loin
les sabots sur les chemins de pierre.

Mais, bien vite, il se rend compte que sa recherche
du mystérieux enfant est trop difficile. Il y a tant
de bébés qui sont nés ce soir-là ! Il rentre donc
chez lui. Il est tellement déçu !

– Je n'ai pas pu offrir mes cadeaux
au merveilleux enfant ! se désole-t-il.

Le voyant si triste, sa femme
et ses enfants se creusent la cervelle,
crish, crash, croush ! pour
trouver une solution.

– Et si tu distribuais tes cadeaux à tous les enfants du monde, dit tout à coup la reine.
Ainsi, si le merveilleux enfant se cache parmi eux, tu seras assuré qu'il reçoive un présent !
– Mais oui, voilà une idée extraordinaire !

Tous se mettent donc au travail. **Bing, bang, boum ! Flich, flach, flouch !** font les
outils dans l'atelier. Toute la famille fabrique des milliers de cadeaux et de jouets pour tous les enfants
du monde.

Et c'est ainsi que, depuis plus de deux mille ans, ce roi, que l'on appelle le père Noël, travaille
avec sa femme, la mère Noël, et tous leurs enfants, les lutins, à fabriquer des jouets pour tous les
gentils enfants du monde.

Chaque année, en souvenir de cette nuit où il a vu la plus belle des étoiles, la nuit de Noël,
le cher vieillard distribue tous ses cadeaux ! »

– Dis, Grand-Père, dans ton histoire, ce n'est pas écrit ce qu'il va m'apporter à moi, par hasard ?
interroge Élie, blotti contre Grand-Père qui lui caresse doucement les cheveux.

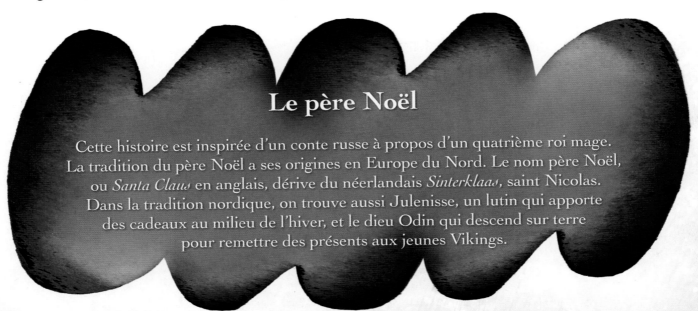

Le père Noël

Cette histoire est inspirée d'un conte russe à propos d'un quatrième roi mage.
La tradition du père Noël a ses origines en Europe du Nord. Le nom père Noël,
ou *Santa Claus* en anglais, dérive du néerlandais *Sinterklaas*, saint Nicolas.
Dans la tradition nordique, on trouve aussi Julenisse, un lutin qui apporte
des cadeaux au milieu de l'hiver, et le dieu Odin qui descend sur terre
pour remettre des présents aux jeunes Vikings.

Le roi des forêts (États-Unis)

2 décembre

Hadrien et Sacapusse sont venus saluer Grand-Père ce soir. Et l'aider aussi à installer le sapin au salon. Mais avant d'aller couper l'arbre dans la forêt, Hadrien se penche sur le calendrier de l'avent et ouvre la deuxième porte. Derrière un marron glacé, il trouve le petit papier qu'il cherchait.

– Ce soir, Grand-Père, c'est moi qui te raconte une histoire ! lance le jeune conteur. Écoute !

« C'est l'hiver, il fait très froid. Ce soir, c'est Noël, mais dans la grande forêt tout enneigée, un petit oiseau est là, tout seul, tout triste. Il a une aile brisée et n'a pas pu suivre sa famille qui est partie vers un pays où le froid n'existe pas. Il volette d'arbre en arbre : **fluss, fluss, fluss !** La neige tombe de plus en plus fort maintenant. Le petit oiseau se réfugie dans les feuilles d'un énorme chêne.

– Hé, va-t'en, vilain moineau ! Je t'interdis de manger mes glands ! crie le vieux grognon, en agitant ses grosses branches.

Le petit oiseau repart. **Fluss, fluss, fluss !** Il se pose dans un noisetier.

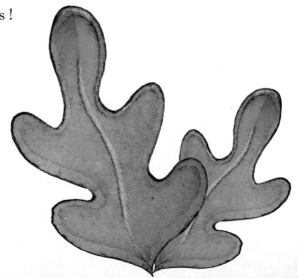

– Hé, va-t'en, petit voleur ! Je ne veux pas que tu touches à mes noisettes ! s'exclame le grincheux, en se tortillant.

Le petit oiseau saute dans l'arbre suivant, un grand châtaignier majestueux.

– Hé, va-t'en, malappris ! Je ne veux pas que tu grignotes mes châtaignes !

Les uns après les autres, tous les arbres le chassent. Tous. **Ouste, ouste, ouste !** Complètement découragé, le petit oiseau se pose dans la neige. **Gla, gla, gla !** font ses petits os tout gelés. Ses yeux se ferment peu à peu, mais juste avant qu'il ne s'endorme pour toujours, il aperçoit un sapin qui lui fait signe.

– **Viens ! Viens, petit oiseau !** N'aie pas peur ! Viens, installe-toi au chaud, entre mes aiguilles. Tu peux grignoter mes graines tant que tu voudras. J'en ai bien assez.

Le petit oiseau fait un dernier effort, **fluss, fluss, fluss !** et s'élève jusqu'aux branches du sapin qui les écarte pour lui permettre de trouver l'endroit le plus confortable et le mieux abrité.

Soudain, le vent se lève, puis souffle de plus en plus fort : **houou, houou, houou !** Un à un, tous les arbres perdent leurs feuilles qui tombent sur le sol enneigé. **Sssssh ! Sssssh ! Sssssh !** Tous ? ! Mais non, pas le sapin qui a accueilli le petit oiseau blessé. Car le vent ne veut surtout pas que le petit prenne froid. Et c'est depuis ce temps-là que le sapin est le seul à garder sa verdure tout l'hiver. **Le sapin, le roi des forêts !** »

– ZzzZZZZzzz ! fait Grand-Père, qui s'est endormi en se balançant dans sa chaise berçante, près de la cheminée.

– Chut, Sacapusse ! dit Hadrien. Allons faire un petit tour dans la forêt. Nous en rapporterons le plus bel arbre de Noël que Grand-Père ait jamais vu.

Le roi des forêts

Adapté d'un conte de Miss Sara Cone Bryant,
auteure pour enfants américaine. La tradition du sapin
décoré est née en Allemagne, notamment chez
les protestants. La veille de Noël, dans la plus grande pièce
de la maison était dressé un sapin orné de pommes
et de noix dorées, et garni de bougies. La maisonnée
se réunissait autour pour chanter des cantiques.
Il y a cinq mille ans, les Cananéens fêtaient la déesse Ashera
en dansant autour d'un arbre recouvert de plaques
d'or et d'argent, de rubans et de figurines d'animaux.

La petite fille aux allumettes (Danemark)

3 décembre

– Grand-Père ! Grand-Père ! C'est nous, Océane et Ulysse. Nous sommes rentrés de voyage ! Nous avons rapporté plein de belles histoires.

– J'ai bien hâte d'entendre ça !

– C'est un conte de Noël qui vient du Danemark, comme *La Petite Sirène*, explique Ulysse.

« C'est l'hiver. Il fait très froid, commence Océane. Les pas de la petite fille craquent et croquent dans la neige. Partout, les vitrines sont illuminées. Les bras chargés de cadeaux, les passants se dépêchent. Vite, vite, vite ! Mais la petite fille est triste. Elle n'aura aucun cadeau. Son papa est trop pauvre et malade.

Entre ses doigts gelés, elle tient un paquet d'allumettes.
Le vent, hou, hou, hou ! la fait trembler.
Son manteau est tout déchiré. Elle est toute
seule dans la rue.

– Ah ! je n'ai pas vendu mes allumettes.
Que vais-je dire à mon père ? Je ne peux pas rentrer !
La petite fille s'assoit dans un coin, entre deux maisons.
Elle a si froid. Les flocons de neige décorent ses longs
cheveux blonds.

– Si je craque une allumette, je vais me réchauffer
un peu les mains.

Crac !

La flamme chaude et claire brille dans l'obscurité.
Et la petite fille rêve.

– Ah ! voilà un bon feu, dans un grand salon rempli
de lumière. Comme c'est doux et réconfortant !
Mais l'allumette s'éteint. **Peuff !** Et la vision disparaît.
Elle frotte vite une deuxième allumette.

Crac !

Cette fois, elle voit une table chargée de nourriture
délicieuse : une oie farcie de pruneaux et de pommes,
un énorme gâteau débordant de fruits et de crème.
Elle tend la main pour en saisir un petit morceau,
mais, **peuff !** l'allumette s'éteint, et la vision disparaît.

Crac ! Vite, une troisième allumette.

– Oh, qu'il est beau cet arbre de Noël, avec sa centaine
de bougies, ses boules d'or et d'argent. Et là, au pied
du sapin, des cadeaux, juste pour moi.

La petite fille lève les yeux et découvre alors une splendide
étoile qui, soudain, se détache de l'arbre pour devenir une étoile
filante dans le ciel.

– Grand-Maman, la seule personne qui m'a vraiment aimée, m'a dit
avant de partir que lorsqu'une étoile file dans le ciel, c'est qu'une âme
monte vers le paradis. Ah, Grand-Maman, j'aimerais tant te revoir !

Crac ! Une quatrième allumette. Et voilà que sa grand-mère apparaît.
Comme elle est belle et souriante !

– Ne me quitte pas, Grand-Maman ! Emmène-moi avec toi.

Alors, la petite fille craque toutes les allumettes qui restent dans le paquet.
Crac, Crac, crac, crac ! Une lumière intense illumine la rue. Lorsque la
dernière allumette s'enflamme, la grand-mère ouvre ses bras, prend sa petite-fille,
et elles s'envolent ensemble comme deux étoiles filantes. Pfffuitttt !

À cet instant, la dernière allumette s'éteint, peuff ! et tombe des mains froides de
la petite fille.

Le lendemain, un passant trouve la petite fille endormie pour toujours,
mais elle sourit et semble si heureuse. Sa grand-mère est venue
la chercher pour l'emmener au ciel. »

– C'est une belle histoire, même si elle est un peu triste !
dit Grand-Père. Vous avez bien mérité d'ouvrir la troisième
porte de mon calendrier de l'avent.

Océane et Ulysse ouvrent vite la petite porte et sont bien surpris de découvrir deux magnifiques
danoises recouvertes de sucre. Comment Grand-Père a-t-il pu deviner qu'ils allaient raconter une
histoire du Danemark ? Encore un mystère de Noël !

La petite fille aux allumettes

La petite fille aux allumettes de Hans Christian Andersen a été publié pour
la première fois en 1845, dans le cinquième volume des contes de l'auteur danois.
Cette histoire a fait l'objet d'une dizaine d'adaptations au cinéma. Dans un parc
d'attractions des Pays-Bas, le parc Efteling, le plus grand d'Europe, on peut
croiser la petite fille aux allumettes dans le Bois des Contes.

Bonhomme de neige (Danemark)

4 décembre

— Élie, il est magnifique ton bonhomme ! dit Grand-Père en enfonçant sa vieille tuque sur le crâne du personnage de neige. Maintenant, rentrons nous réchauffer.

Pendant que Grand-Père s'installe dans son fauteuil, Élie ouvre une petite porte du calendrier de l'avent. Derrière une belle canne en sucre se cache le titre de l'histoire que Grand-Père va lui raconter ce soir.

— Ah, mais c'est incroyable, c'est l'histoire du **bonhomme de neige** ! crie le petit garçon, tandis que Grand-Père sourit avec malice.

« Quel beau froid ! dit **Bonhomme de neige** tout heureux. Tout mon corps en craque de plaisir. **Krouc, krouc, krouc !** commence Grand-Père.

Et ce vent cinglant, **houou houou !** comme il me fouette agréablement ! Et là, ce globe de feu qui disparaît lentement. Oh ! tu as beau faire, tu ne m'éblouiras pas ! Je ne te lâcherai pas de mes deux gros yeux brillants.

La bouche de **Bonhomme,** faite d'un vieux râteau, s'éclaire d'un sourire qui montre toutes ses dents. Le soleil se couche et la pleine lune monte dans le ciel, ronde et grosse, claire et belle.

— Ah ! tu peux réapparaître ! Tu ne m'impressionnes guère ! dit **Bonhomme de neige,** pensant que le soleil se montre de nouveau. Ah ! si seulement je savais bouger. Ça me ferait du bien de remuer un peu. Je pourrais me promener sur la glace et faire des glissades, comme les enfants. **Glisse, glissons, glissades !** Mais, **grrrrrr !** je ne peux pas courir.

– Ouah ! Ouah ! aboie Vieux Chien. Le soleil te fera bientôt courir. J'ai vu ton frère, l'hiver dernier. Ouah ! Ouah ! Il courait vite, très vite !

– Est-ce cette boule pâlotte qui m'apprendra à courir ? demande Bonhomme de neige, en désignant la lune. Laisse-moi rire.

– Tu ne sais rien de rien, répond Vieux Chien. Ce que tu vois là, c'est la lune ; et celui qui a disparu, c'est le soleil. Il reviendra demain. Nous allons avoir un changement de temps. Je le sens dans mes vieilles pattes.

« Je ne comprends rien du tout à ce qu'il dit celui-là, songe Bonhomme de neige. Mais j'ai le pressentiment qu'il m'annonce quelque chose de désagréable. Son soleil, ce n'est pas mon ami. »

Le temps change en effet. Au matin, un brouillard épais et humide se répand sur tout le pays. Au lever du soleil, un vent glacé se lève, houou houou houou ! qui apporte le gel. Arbres et bosquets sont couverts de givre.

Toute la campagne ressemble à une forêt de blanc corail portant des fleurs blanches et brillantes. Le soleil brille au milieu de cette splendeur. Puis, des rayons de lumière fusent de toutes parts, scratch scratch ! Le vaste manteau de neige ruisselle en diamants étincelants : glou, glou, glou !

– Quel spectacle magnifique ! s'écrie une jeune fille qui se promène dans le jardin avec un jeune homme.

Ils s'arrêtent près de Bonhomme de neige.
– Même en été, on ne voit rien de plus beau !
– Surtout, on ne peut pas rencontrer un tel gaillard ! répond le jeune garçon en désignant Bonhomme de neige. Il est magnifique !

– Qui est-ce ? demande Bonhomme de neige au chien de garde. Toi qui es depuis si longtemps dans la cour, tu dois certainement les connaître ?
– Naturellement ! dit le chien. Elle m'a souvent caressé, et lui m'a donné tant d'os à ronger.

– Qui sont-ils donc ?

– Des fiancés, répondit Vieux Chien.

– Ce sont des gens comme toi et moi ?

– Ah ! mais non ! Ils sont de la famille des maîtres. Autrefois, j'habitais avec eux, et pas dans cette cour au froid pendant que souffle le vent glacé. **Ouah ! Ouah !**

– Moi, j'adore le froid ! dit **Bonhomme de neige**.

– **Ouah ! Ouah !** Eh bien, moi, je préfère un coussin moelleux devant un bon poêle !

– Est-ce donc si beau un poêle ? reprend **Bonhomme de neige**.

– Non, non, tout au contraire ! C'est tout noir, avec un long cou et un cercle en cuivre. Ça mange du bois et le feu lui sort par la bouche. Mais quand on est tout à côté, il n'y rien de plus agréable.

Bonhomme de neige regarde vers le sous-sol et voit un objet noir, luisant, avec un cercle en cuivre.

– Comment as-tu pu quitter ce lieu de délices ?

– Il le fallait, dit Vieux Chien. Un matin, on m'a jeté dehors parce que j'ai mordu le mollet du plus jeune de la maison qui m'avait volé un os.

Mais **Bonhomme de neige** n'écoute déjà plus.
Il regarde la pièce où le poêle est posé.

– Tout mon être en craque d'envie, dit-il. Si je pouvais entrer ! Il faut que je m'appuie contre ce poêle !

Krouc, krouc, krouc !

– N'entre pas ! l'avertit le chien. Si tu entrais, c'en serait fait de toi.

« C'en est déjà fait de moi, songe **Bonhomme de neige**. Je crois bien que je suis amoureux ! »

Tous les soirs, **Bonhomme de neige** regarde par la fenêtre. Du poêle sort une flamme douce et caressante. Chaque fois qu'on ouvre la porte, la flamme s'échappe par-dessous. La blanche poitrine du **Bonhomme de neige** en reçoit des reflets rouges.

– Ah ! je ne peux plus tenir ! dit-il un soir. Je veux voir ce beau poêle de plus près.

Au matin, la fenêtre de la cave est couverte de givre, formant de jolis dessins qui cachent le poêle. La neige craque plus que jamais. Un beau froid sec, un vrai plaisir pour **Bonhomme de neige**. **Krouc**, krouc, krouc !

Pourtant, **Bonhomme de neige** est triste. Ses deux gros yeux de charbon restent fixés sur le poêle qui continue à brûler. Et les jours **passent…** **passent… passent.**

– **Ouah ! Ouah !** Nous allons encore avoir un changement de temps ! annonce Vieux Chien quelques semaines plus tard.

En effet, ce matin-là arrive le dégel. Et plus le dégel s'installe et plus **Bonhomme de neige** diminue. Il ne dit plus rien. La surprise le laisse sans voix.

Un après-midi, **Bonhomme de neige** tombe en morceaux. Criiiic ! **Craaac !** Croooc !

Bientôt, il ne reste de lui que le manche
à balai qui lui servait de colonne vertébrale.
– Ah, je comprends maintenant son
attirance pour le feu, renifle Vieux Chien.
C'est ce bois qu'il avait dans le corps
qui l'a tourmenté tout l'hiver !
Ouah ! Ouah !

Bientôt, l'hiver s'en va à son tour.
– Ouah ! Ouah ! aboie Vieux Chien
lorsqu'une petite fille se met à chanter
dans la cour.

– Ohé ! Voici l'hiver parti ! Chantons :
Coucou ! Vite, vite ! Chantons !
Et toi, bon soleil, viens vite ! »

– Comme c'est bon de passer une soirée
d'hiver en ta compagnie, Grand-Père,
dit Élie.

– Auprès d'un bon feu. Mais fais attention,
ne reste pas trop près, répond Grand-Père,
avec un grand sourire.

Bonhomme de neige

Adapté du *Bonhomme de neige* de Hans Christian Andersen, écrivain danois. Ses histoires ont été traduites dans plus de cent langues. Parmi les plus connues, on trouve *La Petite Sirène*, *Le Stoïque Soldat de plomb*, *La Bergère et le Ramoneur*, *Le Vilain Petit Canard*...

Il a également écrit des pièces de théâtre, des romans, des récits de voyage et de la poésie.

La légende du poinsettia (Mexique)

5 décembre

Océane et Ulysse apportent un beau cadeau à Grand-Père. Un poinsettia tout rouge qu'ils viennent d'acheter pour égayer son salon.

– Grand-Père, connais-tu la légende du poinsettia ? demande Océane, en arrosant la plante.

– Nous l'avons apprise au Mexique. Écoute, Grand-Père ! ajoute Ulysse en dévorant le chocolat caché derrière la petite porte du calendrier de l'avent.

« Aujourd'hui, c'est la veille de Noël. Tout au fond de l'église, Lola, la petite Mexicaine, pleure à fendre l'âme, **snif, snif, snif** ! et elle prie de tout son cœur.

– S'il te plaît, mon Dieu, aide-moi ! Comment pourrais-je montrer à l'Enfant Jésus que je l'aime, puisque je n'ai même pas une petite fleur à mettre au pied de sa crèche !

Ses larmes coulent sur le sol froid, **plic, plac, ploc** !
Soudain, un éclair brillant zèbre l'église : **scraaaaatch** ! Et tout à côté de Lola apparaît brusquement son ange gardien.

– Ne pleure plus, Lola ! L'Enfant Jésus sait que tu l'aimes. Il voit aussi tout ce que tu fais pour aider les autres. Il sait que tu as bon cœur. Si tu veux lui faire plaisir, ramasse seulement quelques plantes qui poussent sur le bord de la route.

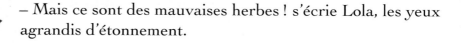

– Mais ce sont des mauvaises herbes ! s'écrie Lola, les yeux agrandis d'étonnement.

– Les herbes qu'on dit mauvaises sont seulement des plantes dont on n'a pas encore découvert comment en faire un bon usage ! répond l'ange, avec un grand sourire.

Le cœur plus léger, Lola s'en va donc dans la campagne. **Clopin-clopant, clopin-clopant.** Elle cueille quelques plantes jaunes, roses et blanches qui poussent à l'état sauvage. **Une, deux, trois… plein les bras !**

Puis, Lola revient à l'église avec toutes les herbes qu'elle a pu trouver. Elle se penche respectueusement au-dessus de la crèche et dépose ses plantes parmi les autres fleurs apportées par les habitants du village.

– Tiens, pour toi, Enfant Jésus !

– **Ha, ha, ha !** Avez-vous vu ça ? Des mauvaises herbes ! **Pouf, pouf, pouf !** s'étouffe un vieux monsieur.

Mais soudain, des cris d'ébahissement se propagent dans toute la chapelle.

– **Oh ! Ah ! Oh ! Ah !**

Une à une les « mauvaises herbes » de Lola se transforment en superbes fleurs rouges, **pschuitt, pschuitt, pschuitt !** comme des langues de feu.

– **Ooooooh !** Elles sont magnifiques ces fleurs de la Sainte Nuit ! s'exclame alors le vieux monsieur qui n'en croit pas ses yeux.

Tous se précipitent vers Lola. Où a-t-elle trouvé de telles splendeurs ?

– Sur le bord du chemin, répond simplement la petite Mexicaine qui s'éloigne en chantant. **La la la la la la !**

C'est depuis ce jour que les Mexicains appellent les poinsettias *Flores de la Noche Buena*, fleurs de la Sainte Nuit. »

– N'oublie pas d'arroser ton poinsettia, Grand-Père ! déclare Océane. Mais pas trop, et tu pourras le garder jusqu'en avril.

La légende du poinsettia

C'est en 1826 que l'ambassadeur des États-Unis au Mexique, Joel Roberts Poinsett, rapporte des boutures de cette plante en Amérique du Nord. Elle prendra son nom par la suite. Depuis, c'est la plante que l'on trouve le plus sur les tables de Noël. Les parties colorées du poinsettia ne sont pas des fleurs mais bien des feuilles. Les vraies fleurs sont minuscules et jaunes.

La légende de saint Nicolas

(Pays-Bas, Belgique, France, Luxembourg, Allemagne, Autriche, Hongrie, Suisse)
6 décembre

Aujourd'hui, c'est la Saint-Nicolas dans plusieurs pays d'Europe. Hadrien et Sacapusse sont venus passer la journée chez Grand-Père pour l'aider à décorer. Lorsque les lumières scintillent tout autour de la maison, il est temps de prendre un repos bien mérité. Grand-Père ouvre la petite porte du calendrier de l'avent pour découvrir l'histoire du jour. Celle de saint Nicolas, bien entendu !

« Un jour, un paysan envoie ses trois jeunes garçons dans les champs pour ramasser les épis de blé laissés après la moisson. **Cahin-caha, cahin-caha,** dans le grand champ.

Une heure passe, puis deux, puis trois… et voilà la nuit qui arrive. Le soleil part se coucher. **Ouin !** fait-il en bâillant très fort. Puis, la lune apparaît et les étoiles s'allument une à une : **clic, clic, clic !**

Surpris, les trois enfants comprennent qu'ils ne retrouveront pas leur chemin dans l'obscurité.
– **Snif, snif, snif !** Nous sommes perdus ! pleurniche le plus jeune.

Les larmes coulent sur son petit visage tout triste.
– Suivez-moi ! Je vais retrouver la route, affirme le plus vieux.

Trottine, trottina, trottinons, trottinette…
Mais plus ils marchent, plus ils se perdent.

Soudain, l'aîné aperçoit une lumière dans le lointain.
– Vite, allons dans cette direction !

Galope, galopant, galopons, galipette !

Ils arrivent devant une maison, toute seule, aux abords d'une grande forêt.
– Arrêtons-nous ici pour demander de l'aide, dit le deuxième enfant.

Toc, toc, toc ! Ils cognent à la porte.

Un gros monsieur au visage tout rouge leur ouvre en **bougonnant, bougonnons, bougonnette !**

– Qu'est-ce que vous voulez ? Je n'ai pas de temps
à perdre avec des vauriens. Passez votre chemin !
– S'il vous plaît, monsieur ! Pouvez-vous nous
garder pour la nuit ? supplie le plus jeune.
– Laisse-les entrer ! chuchote la femme
du gros monsieur. Ils ont peut-être de l'argent
plein les poches. Nous pourrons les faire
payer…

L'homme réfléchit quelques secondes,
puis devient tout à coup très gentil.
– Entrez, entrez, mes petits enfants. Je suis
boucher et je vais vous donner à souper.

À peine sont-ils entrés que le vilain
bonhomme les attrape par un bras,
tous en même temps, et les enferme dans son
saloir, là où il garde toute sa viande pendant
de longues années jusqu'à ce qu'elle soit
prête à manger. **Clic, clac, cloc !**
Enfermés à double tour !

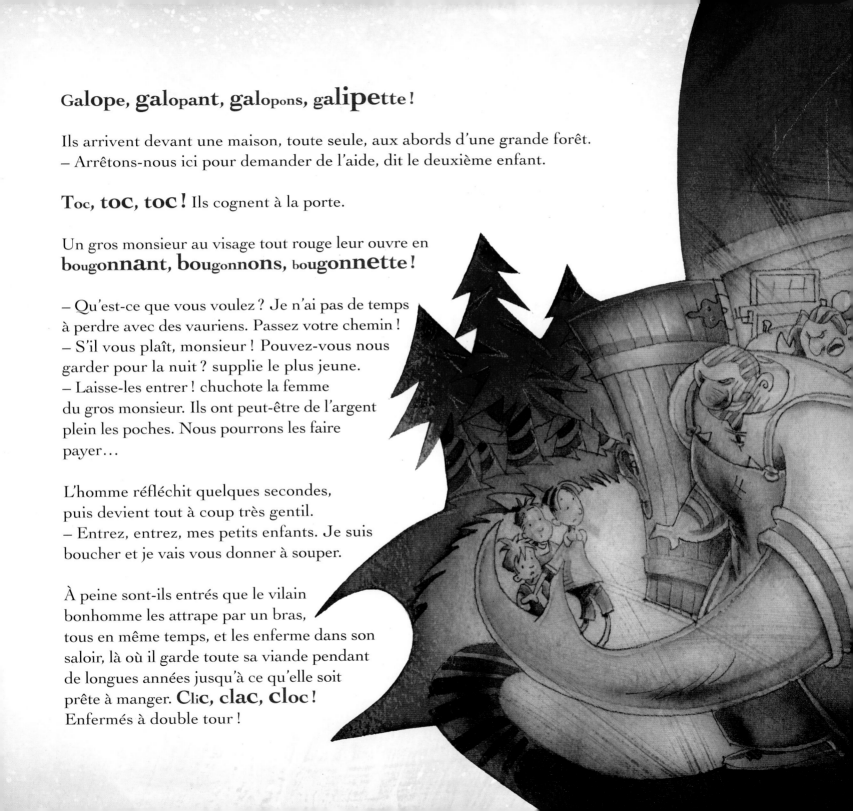

Et le temps passe. **Passa. Passons. Passinette.**

Sept ans plus tard, un vieux
monsieur qui s'appelle saint
Nicolas vient à passer par là.
Il frappe à la porte, **toc**, to**c**, **toc** !
et demande si on peut lui donner
à souper.

– Voulez-vous un morceau de
jambon, bon saint Nicolas ?
demande le boucher qui l'a
reconnu grâce à sa longue
barbe, à sa longue tunique
blanche et à sa cape rouge.

Sa femme lui présente
un gros ja**mbon**,
jambon**neau**,
jambon**nette**.

– Non ! Il n'est pas
appétissant. Je n'en veux
point !

– Peut-être un peu de veau ?

– Une belle es**calope**,
es**calo**pette ! s'exclame
la femme.

– Tu te moques de moi. Regarde ton veau, il n'est pas beau ! Je veux ce qui est dans ton saloir depuis sept ans !

Entendant cela, le boucher et sa femme comprennent que saint Nicolas les a démasqués et ils s'enfuient en courant. **Cours, cou**rons, **cour**ette !

Alors saint Nicolas ouvre la porte du saloir, puis lève ses doigts en direction des trois enfants qui sont en train de se transformer en petits garçons salés.
– **Dessale, de**ssalons, **dessa**linette !

Les enfants ouvrent enfin les yeux. Le premier dit : « Ah ! j'ai bien dormi ! » Le deuxième s'exclame : « Oui, moi aussi ! » Et le plus jeune ajoute : « Je croyais être au Paradis ! »

C'est ainsi que saint Nicolas a sauvé les trois enfants qui étaient partis ramasser du blé dans les champs. »

– Et c'est pour cette raison que saint Nicolas est considéré comme le protecteur des enfants, complète Hadrien, tandis que Sacapusse déguste un gros os, confortablement installé devant le foyer.

La légende de saint Nicolas

Saint Nicolas, saint patron et protecteur des petits enfants, est fêté tous les 6 décembre, dans de nombreux pays d'Europe. Le personnage est inspiré de Nicolas de Myre, né à Patara (Turquie) au IIIe siècle après J.-C. et mort le 6 décembre, dans la ville de Myre (Turquie). Il est l'ancêtre du père Noël.

La rose de Noël (Suède)

7 décembre

– Élie, sais-tu que ce soir, en Colombie, commence la fête des Petites Bougies ?
demande Grand-Père.
– Oh ! et que fait-on pendant cette fête ?
– Juste au coucher du soleil, il faut placer des bougies, des lanternes ou des guirlandes lumineuses
sur le rebord des fenêtres et des balcons, sans oublier les trottoirs, les parcs et les places publiques !
– On le fait Grand-Père !

Lorsque tout est installé, et que la maison brille de mille feux, Grand-Père et Élie s'installent au salon.

Le garçon ouvre alors la petite porte du calendrier de l'avent
où se cache une nouvelle belle histoire.

Élie s'éclaircit la gorge et lit pour Grand-Père :

« Dans une profonde forêt, une grotte sert de maison à la famille Brigand. Quelques années plus tôt, papa Brigand a été chassé du village pour avoir volé une vache. Chaque jour, maman Brigand et ses cinq enfants se rendent au village pour mendier de la nourriture.

Un jour, **faufila, faufilo, faufilou**, le plus jeune se faufile dans le couvent par une porte. La mère suit son enfant.

– **Oh, ah, ouh !** Comme c'est beau ! s'exclame la petite famille en découvrant un adorable jardin, dont s'occupe l'abbé Hans et les moines.
– **Ouste, ouste, ouste !** Que faites-vous ici ! s'écrie l'abbé en découvrant les Brigand.
– S'il vous plaît, laissez-nous visiter votre jardin, ensuite nous partirons !

L'abbé Hans hésite… **hum !** Puis finalement, il accepte, et la petite famille se promène. Les fleurs sentent si bon ! Et toutes ses fines herbes, **miam !** ça leur donne faim.

– Abbé, votre jardin est magnifique, mais j'en connais un encore plus beau !
– Ah oui ! Comment est-ce possible ? s'étonne l'abbé Hans.

– Il fleurit chaque année pendant la nuit de Noël, dans la forêt.
– Je suis curieux de voir un tel miracle. Pourriez-vous me montrer ce prodige ?
– Hum ! je ne sais pas… c'est délicat ! répond maman Brigand.
– Si vous m'emmenez voir ce jardin, je vous promets d'obtenir la grâce de votre mari en échange.
Et ainsi vous pourrez revenir vivre au village.

La mère et ses enfants repartent, petits pas, petits pots, petits poux, tout heureux vers
la grotte.

L'abbé Hans se hâte d'aller voir l'évêque, cours, cours, cours ! et lui raconte
ce que lui a dit la dame Brigand.

– Très bien ! J'accepte de gracier le père Brigand
si vous me rapportez la plus belle fleur de ce jardin
fabuleux ! dit l'évêque.

L'été passe… chaud, chaud, chaud !
puis l'automne, fraîchi, fraîcha,
fraîchou… Et enfin, c'est Noël.

Petits pas, petits pots, petits poux ! L'abbé
Hans accompagné d'un moine rejoint la famille
Brigand à la grotte.

– **Pffff !** Je suis sûr que c'est des bêtises tout ça ! se plaint le moine Rolf.
C'est encore loin ? J'ai mal aux pieds. Il fait froid.

Enfin résonnent les douze coups de minuit. **Ding, dung, dong, ding, dung, dong !**

Maman Brigand conduit les invités à l'endroit miraculeux.

Ding ! Chaque son de cloche fait sortir de la neige de superbes fleurs plus
magnifiques les unes que les autres. **Ding, dung, dong, ding, dung, dong !**
Dans une lumière douce et éclatante, des oiseaux **gazouillent, gazouillis,
gazouillons,** joyeusement et virevoltent tout autour d'eux.

– Quelle merveilleuse merveille ! s'exclame l'abbé Hans.

– **Diable, diabolus, diablotin, diabolique !** crie le moine Rolf. Si ce jardin a été révélé
à un voleur et à sa famille, c'est l'œuvre du diable.

Alors, une douce colombe s'approche de Rolf.

– **Oiseau, oiseux, oisillon de l'enfer !** Retourne chez ton maître, le diable !

À ces paroles, les oiseaux et le jardin disparaissent dans l'obscurité. **Pouf, pouf, pouf !**
L'abbé Hans est désespéré. Puis, se souvenant de sa promesse, il cherche, **fouille, farfouille.**
Des fleurs extraordinaires du jardin magnifique, il n'en reste rien.

L'abbé Hans tombe à genoux, foudroyé par la douleur.

Au matin, le moine ramène le corps de l'abbé au couvent. Dans les mains du frère Hans, Rolf trouve
deux petits bulbes. Il décide de les planter dans le jardin du couvent que l'abbé Hans aimait tant.

Au Noël suivant, des petites fleurs blanches émergent du sol. **Pif, paf, pouf !** Elles sont semblables à celles que le moine et l'abbé ont vues dans la forêt. Rolf les apporte à l'évêque qui réalise que l'abbé Hans avait raison.

Petits pas, petits pots, petits poux ! Le moine apporte la bonne nouvelle à la famille Brigand, qui repart enfin vivre dans le village. Quant à Rolf, il s'installe dans la grotte pour y vivre en ermite afin de se faire pardonner de n'avoir pas cru au miracle de la forêt enchantée.

Depuis ce jour, plus jamais la forêt n'a refleuri,
mais dans le jardin de l'abbé Hans,
la « **rose de Noël** » éclot chaque année
à Noël pour rappeler ce prodige. »

Le nez collé à la vitre, Élie regarde
les mille petites lumières qui brillent
dans la nuit et donnent à la demeure
de Grand-Père des allures de
maisonnette magique.

La rose de Noël

Adapté de « La légende de la rose de Noël »,
dans *Le livre des légendes*, de Selma Lagerlöf, traduction de
Fritiof Palmer, Librairie académique Perrin, 1910.

La rose de Noël, *Helleborus niger*, existe vraiment et fleurit
très tôt dans l'année, parfois dès le début janvier,
dans les montagnes d'Europe. Au Québec, elle fleurit quand
la neige fond, habituellement en avril. Les fleurs blanches
persistent jusqu'au début de l'été, pendant deux mois et plus.
Maintenant, on trouve de nombreux hybrides d'hellébores
dans une vaste gamme de couleurs.

Le violon du père Noël (Québec)

8 décembre

– Dis, Grand-Père, questionne Hadrien, penses-tu que nous aurons de la neige pour Noël ?

Le vieil homme s'approche de son vieux baromètre et le cogne à deux doigts, avant de répondre :
– Notre-Dame de l'avent, pluie et vent, enfonce ton bonnet jusqu'aux dents !

– Ah ! j'adore tes dictons de météo ! rigole Hadrien. À propos d'avent, je veux voir ce qui se cache derrière la porte de ton calendrier à surprises.

Le jeune conteur est tout heureux de découvrir un gros chocolat rempli de caramel et un petit papier qu'il s'empresse de lire.

« Louis est un adorable enfant, avec de grands yeux rêveurs. Le charmant bambin est adoré et choyé. Mais ce qui caractérise surtout Louis, c'est sa passion pour la musique : un air de flûte, tu-turlututu ! provoque son enthousiasme ; une fanfare, bink, bonk, clak, couiunc ! le fait bondir de joie.

Louis a maintenant deux ans. Cependant, deux semaines avant Noël, son papa et sa maman le conduisent à l'hôpital car il est très malade. Enfermée avec lui dans sa chambre, sa maman pleure à chaudes larmes, tandis que le papa a le cœur serré.

– Eh bien ? demandent les parents, en voyant apparaître le médecin après l'opération de Louis.
– C'est fait ! Tout va bien, répond le docteur, d'un air et sur un ton qui ne sont pas très convaincants.
– Ah ! docteur, docteur, s'il y a du danger…
– Non, il n'y a pas de danger… Pas pour le moment. Sa guérison sera peut-être longue.
En tout cas, il faut empêcher la fièvre par tous les moyens possibles. Je reviendrai ce soir.

Le soir, le médecin revient. Louis est bouillant de fièvre. Durant trois longs jours et trois longues nuits, le petit garçon lutte contre sa maladie. **Bam, boum, bam !** fait tout son corps en se battant contre la fièvre.

— S'il pouvait dormir ! soupire le docteur. Il n'y a que le sommeil qui puisse le sauver. Dans son état de faiblesse, je ne peux pas lui donner de médicament pour l'endormir.

Un autre **jour passe**, puis **deux**, puis trois, puis **quatre...**
Au grand désespoir de ses parents, Louis ne dort toujours pas.

— C'est demain Noël, mon chéri, dit le papa, penché sur son fils.
Il bécote la petite main sur la couverture. **Becs, bécots, bises, bisous** !

— C'est demain Noël ! ajoute la maman. Le père Noël va faire sa tournée et distribuer des cadeaux aux petits enfants qui dorment. Tu n'as qu'à dire ce que tu veux, mon ange. Si tu dors bien, le père Noël te l'apportera... Tu vas dormir, n'est-ce pas ?

— Que veux-tu, mon chéri ? demande papa.
— Un violon, répond l'enfant avec une lueur de joie dans le regard.
— Un violon ? Eh bien, le père Noël en a des violons. J'en suis certain. Dors bien, il t'en apportera un, le plus beau de tous.

Mais Louis ne dort toujours pas. **Bam, boum, bam !** son petit corps se bat contre la maladie.

— Ah ! s'il pouvait dormir, ne serait-ce qu'une heure ! soupire le docteur.

Dans la soirée, l'enfant fait un signe à son père.

— Que se passe-t-il ?
— Est-ce qu'il sait en jouer du violon ? fait le gamin d'une voix faible.

– Qui, mon ange ?
– Le père Noël !

Le papa se dresse tout à coup en se
frappant le front : **clink !** il vient
d'avoir une idée.

– Mais oui, mon amour ! s'écrie-t-il.
Il sait jouer du violon. Il en joue même
divinement bien. Si tu veux bien dormir,
tu l'entendras dans un rêve… Tu verras
comme c'est beau !

Le papa sort de la chambre sur la pointe
des pieds. La nuit avance, la nuit de Noël.
Dans le lointain, on entend les cloches qui
commencent à chanter : **ding, dong,
ding, dong !** Mais Louis ne dort toujours pas.

Le papa revient une demi-heure plus tard.
– Je viens de voir le père Noël. Dans son traîneau,
j'ai cru apercevoir un bijou de violon, dit-il.
Il sera ici dans un instant. Baissons les lumières,
et toi, mon bébé, ferme tes yeux.

Tout à coup, un bruit résonne dans le couloir.
Grink !
– Chut, c'est lui !

Le bruit s'accentue. On dirait des cordes
de violon qu'une main mystérieuse accorde :
grink, grink, grink !

Le petit garçon tend l'oreille. Des sons d'une pureté angélique se glissent dans le silence de la nuit.

Zing, zang, zong ! La main de Louis tremble dans celle de son papa.

Des mélodies de Noël se mettent à voleter dans le couloir. Louis reconnaît toutes les chansons qu'il aime : *Petit papa Noël, Les anges dans nos campagnes, Mon beau sapin…*

Les chansons se succèdent et se mêlent. Le petit garçon ne bouge plus, ne tremble plus ; il est emporté par la joie. Puis, petit à petit, le son du violon s'atténue, jusqu'à ne devenir qu'une mélodie douce et lointaine… lointaine, lointain, loin…

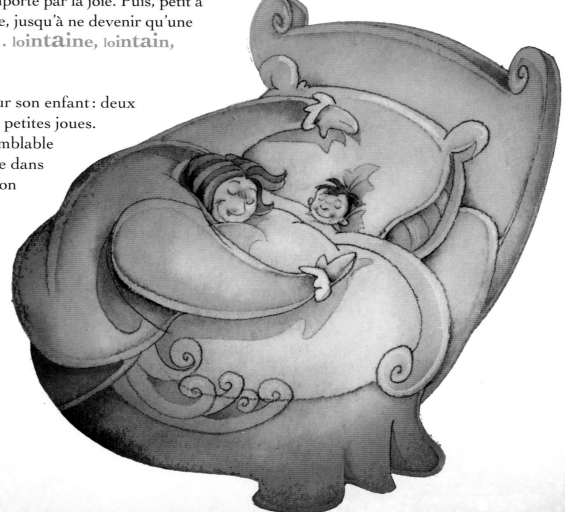

Le papa jette un coup d'œil sur son enfant : deux grosses larmes coulent sur les petites joues. Puis, comme un murmure, semblable au chuchotement d'une source dans les herbes, le merveilleux violon soupire la berceuse qui a tant de fois endormi Louis : « Ma mère chantait toujours, la la la, Une vieille chanson d'amour, Que je te chante à mon tour… »

Le petit ferme alors les yeux, penche la tête, et son épaule s'enfonce doucement, tout doucement dans le duvet de l'oreiller… Zzzzzzz !

Presque au même moment, une autre tête retombe sur le bord du petit lit. C'est la pauvre maman, épuisée, qui s'endort à son tour avec un sourire.

Le papa se lève alors sans faire de bruit et va à la rencontre du médecin qui arrive.
– Il dort ! murmure-t-il. Il est sauvé, n'est-ce pas ?
– Ils sont sauvés tous les deux, répond le docteur, en jetant un coup d'œil dans la chambre du malade.

Alors, le papa se précipite dans le couloir et va serrer les mains d'un musicien de l'Orchestre symphonique de Montréal qui est en train de remettre son violon dans son étui. »

– Ouaf, ouaf, ouaf ! commente Sacapusse, les deux pattes posées sur le rebord de la fenêtre.

Hadrien s'approche pour voir ce qui se passe et s'exclame :
– Il neige, il neige, il neige !

Le violon du père Noël

Adapté de « Le violon de Santa Claus », tiré de
La Noël au Canada, de Louis Fréchette, Toronto,
George N. Morang & Co., 1900.

Les deux sapins (France)
9 décembre

– Et si on fabriquait des petits biscuits des fêtes ! s'exclame Océane.

Aussitôt dit, aussitôt fait. Ulysse prépare les ingrédients : 4¼ tasses de farine, ¾ de tasse de beurre, 1¼ tasse de sucre, 2 œufs, 1 cuillère à thé de poudre à pâte, 1 jaune d'œuf pour la garniture.

– Il faut tamiser la farine dans un bol, puis creuser un puits au centre, explique Grand-Père. Dans un autre bol, on malaxe le beurre ramolli, auquel on ajoute le sucre, la poudre à pâte et les œufs. On mélange bien le tout avant de le verser dans le puits de farine. Ensuite, on pétrit. Puis on laisse reposer au frais quelques heures. Tenez, je vais en profiter pour vous raconter l'histoire du jour.

« Le soir de Noël, un enfant pauvre passe de porte en porte : toc, toc, toc !

– Voulez-vous acheter mes deux petits sapins ? Vous y attacherez des boules d'or et des étoiles de papier. C'est amusant pour les enfants !

Mais à chaque maison, les gens lui répondent :
– Trop tard, trop tard ! Il y a longtemps que l'arbre de Noël est acheté !… Reviens l'an prochain !

L'enfant est désespéré, car il n'y a pas beaucoup de nourriture chez lui. Il vit avec sa grand-mère qui se prive de tout, et qui est bien malade. C'est pour cela qu'il a eu l'idée de gagner un peu d'argent afin de lui apporter quelque chose de bon, et de montrer à sa vieille mamie qu'elle peut compter sur lui.

Après bien des demandes et bien des réponses indifférentes ou méchantes, il se trouve devant la maison de maître Heidel, un réputé jardinier. Toc, toc, toc ! Le pauvre gamin frappe et la grosse voix de Heidel demande :
— Qui frappe à pareille heure ?

L'enfant n'ose pas répondre.
— Qui frappe chez moi quand je veux être en paix ?

Les pas du jardinier font craquer le plancher, crich, crach, crouch ! Et l'homme ouvre sa grande porte. L'enfant aperçoit alors un arbre magnifique, tout brillant, qui projette sa vive lumière jusque dans la rue déserte. Il voit aussi des enfants assis près d'un bon feu qui regardent la dinde de Noël qui cuit. Hmmm ! Dinde, dindon, dindonneau ! Comme c'est beau ! Comme ç'a l'air bon !

Mais l'enfant est triste. Son dernier espoir de vendre ses sapins s'envole.

— Qu'est-ce que tu veux, petit ? demande Heidel. Tu as l'air d'un idiot avec tes deux sapinots rabougris ! Allez, réponds ! Le froid entre chez moi. Parle vite ou je te ferme la porte au nez !

C'est un homme au ton bourru, mais pas méchant pour deux sous. Il regarde le gamin qui a l'âge de ses enfants, et qui, les deux pieds dans la neige, n'ose même pas lever les yeux.

— Que veux-tu ? demande-t-il, plus doucement.

— Vendre mes deux sapins, pour Noël… mais… mais le vôtre est bien plus beau. Je vais donc rentrer à la maison.

Et deux grosses larmes coulent sur les joues du gamin. Plic, plac, ploc !

— Tu viens proposer tes sapins à maître Heidel, le chef des jardiniers ? Tes arbres ne vaudront jamais les miens. J'en ai vendu plus de cent aux plus riches de la ville, et j'ai gardé le moins beau ; pourtant il touche le plafond !

Tête basse, l'enfant fait demi-tour et s'éloigne.

— Qu'importe ! dit soudain Heidel. Donne-les-moi !

Il rentre dans sa maison et s'empare d'une pièce d'or dans un tiroir. Kling, kling, kling ! résonne la piécette en tombant dans la main du gamin. Le petit ne peut en croire ses yeux. Il pense même que l'homme se moque de lui.

Alors les enfants lui donnent une cuisse de dinde, et leur mère, dans un bol, une part de bonne soupe chaude. Le chien s'approche et lèche ses mains rougies par le froid. L'enfant remercie du mieux qu'il peut et retourne chez lui, heureux comme jamais il ne l'a été.

Pour sa part, Heidel, qui trouve les sapins vraiment trop moches, les jette dans un coin de sa maison et se met à table. Le repas est bon, la dinde bien cuite, le gâteau succulent… Quel bon repas ! Puis toute la maisonnée s'en va se coucher. ZzzZZZzzzz !

Le lendemain matin, jour de Noël, les enfants de Heidel jouent dans la neige. Pour imiter leur père jardinier, ils prennent les deux arbustes et les plantent, plonk ! derrière l'église.

Maintenant les cloches sonnent. Ding, dong, ding, dong ! La foule prend place dans l'église. Les chants montent et résonnent. La la la la la ! Le jardinier se dit qu'on n'est jamais trop gentil avec les enfants pauvres, car le petit Jésus dans la crèche en était un, lui aussi.

Puis, une fois que la messe de Noël est dite, que les cierges sont éteints, que l'encens s'est dissipé, la foule se rassemble sur la place. Soudain quelqu'un se met à crier :

– Prodige ! Miracle ! Regardez !

Deux sapins hauts comme le clocher, aux troncs tout droits comme des mâts de navire, aux branches vastes et lourdes, s'élèvent dans le ciel. Et dans l'air pur de Noël, les oiseaux chantent avec entrain : cuiiii, cuiiii, cuiiii, cuiiii !

Tout à coup, la colombe d'un vitrail de l'église s'anime et s'envole à grands coups d'aile, flussss ! vers le sommet des sapins. On la voit battre des ailes trois fois, flussss, flussss, flussss ! puis revenir prendre sa place.

– C'est un miracle, un miracle de Noël ! crie-t-on sur la place.

Et le petit garçon, qu'est-il devenu ? Eh bien, avec la pièce d'or que lui a donnée Heidel, il a acheté quelques objets qu'il a pu vendre à bon prix. Avec l'argent gagné, il s'est acheté un commerce un peu plus grand. Puis, comme tout allait bien, il a épousé la fille de maître Heidel et est devenu son associé. Depuis ce jour, les enfants pauvres savent qu'on leur donne toujours d'excellents *bredelas* – ce sont des biscuits – chez le petit garçon qui, lui aussi, est devenu un très grand jardinier. »

— Des *bredelas*, comme les miens ! assure Grand-Père.

— Il est temps d'étaler cette pâte au rouleau, déclare Ulysse en sortant la préparation du réfrigérateur. Et on découpe des étoiles, des lunes, des sapins, des petits bonshommes qu'on pose sur une plaque allant au four.

— On badigeonne chaque biscuit à l'aide d'un pinceau trempé dans du jaune d'œuf. Puis, hop, au four à 350 °F pendant environ 10 minutes, et on déguste ! termine Océane.

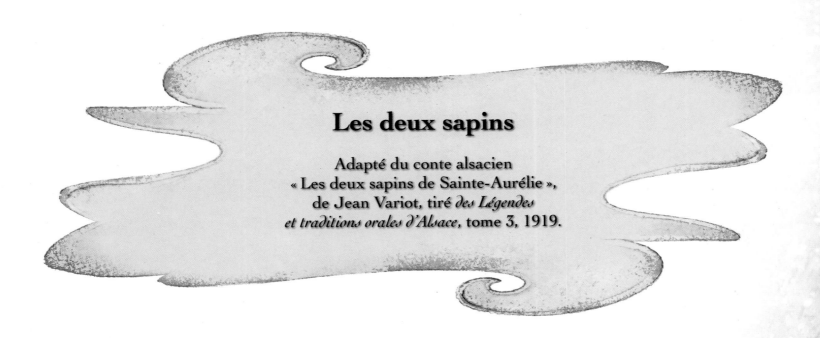

Les deux sapins

Adapté du conte alsacien
« Les deux sapins de Sainte-Aurélie »,
de Jean Variot, tiré *des Légendes
et traditions orales d'Alsace*, tome 3, 1919.

Le petit renne au nez rouge (États-Unis)

10 décembre

Hadrien et Grand-Père ouvrent la petite porte du calendrier de l'avent du jour. Le jeune conteur est fou de joie en apercevant le verre de lait de poule qui l'attend.

– Hum ! fait Hadrien, en se léchant les lèvres. Grand-Père, ton lait de poule est vraiment le meilleur. Sacapusse l'aime beaucoup aussi.
– Menoum, **menoum**, menoum ! fait le chien
en lapant son bol.
– Et maintenant, place à l'histoire !
dit Grand-Père.

« Tout le monde le sait, c'est dans le Grand Nord qu'habitent les rennes du père Noël. Parmi eux, il y en a un qui, au lieu d'avoir un petit nez noir, a une belle truffe rouge qui luit dans l'obscurité : bri**lle**, bri**lla**, **brillant.** Son nom, c'est Rodolphe.

Tout petit, Rodolphe n'a pas la vie facile. Souvent, les autres rennes lui jettent de la neige au visage, **slotch !** avec leurs sabots et se moquent de lui.

– Ha, **ha, ha !** As-tu vu ton nez ?
On dirait un lumignon…
Ha, **ha, ha !**, **trop mi-mi,
trop mignon** !

On va t'appeler **Nez-Rouge** !

Chaque fois que les autres
petits rennes rient ainsi de lui,
de grosses larmes coulent sur
son nez vermillon.

– Allez, les amis ! On va
glisser ! lance Fringant.

Rodolphe s'approche, il adore
les glissades.

– Non, pas toi ! Pas **Nez-Rouge** !
ricanent les rennes, en s'élançant sur le lac gelé.

Et les voilà qui font des cabrioles, virent et virevoltent.

Rodolphe reste triste et seul sur la rive. Il ne peut même pas jouer à cache-cache avec les lapins,
car son nez le trahit toujours.

– On te voit ! s'exclament Lapinou et ses frères. Tu brilles comme un lumignon.
Trop mi-mi, trop mignon !

Ce matin-là, à la veille de Noël, Furie arrive en courant.

– Rassemblement ! Père Noël va choisir lesquels d'entre nous tireront son traîneau pour la distribution des cadeaux aux enfants sages.

– Ah, j'espère que je serai choisie cette année encore ! s'exclame la jeune Éclair.

– Oui, moi aussi ! ajoute Cupidon, les yeux en cœur.

Rodolphe, lui, se dit qu'il n'a aucune chance. Alors, il court se cacher dans la grange construite par les lutins. Personne n'ira le chercher là.

Pendant ce temps, le père Noël passe tous les rennes en revue, choisissant les plus forts et les plus rapides.

– **Tornade,** tu es le plus rapide ; **Danseur,** tu es la plus gracieuse ; **Furie,** tu es le plus puissant ; **Fringant,** tu es belle et résistante ; **Comète,** tu donnes de la joie aux enfants ; **Cupidon,** tu mets de l'amour dans les maisons ; **Tonnerre,** tu es le plus fort ; et la dernière… euh **Éclair,** tu apportes la lumière ! Voilà mon équipage !

– Hourra ! Je suis choisie ! Je suis choisie ! danse la vive Éclair. Vire et virevolte !

Le soir venu, les lutins se chargent de mettre tous les cadeaux dans le grand traîneau.

– Ah ! tant pis s'ils se moquent encore de mon nez, dit Rodolphe. Je ne peux quand même pas passer toute la nuit dans la grange. Et puis, les lutins ont tellement de travail, je dois les aider.

Il sort de sa cachette et s'en va rejoindre le père Noël. Mais la **chicane, chicanant, chicanons,** est prise ! Les rennes ne parviennent pas à s'entendre pour désigner celui qui dirigera l'attelage.

– Je suis le plus fort ! argumente Tonnerre, en montrant ses gros mollets.
– Et moi, le plus rapide ! répond Tornade, en faisant le tour de la maison à la course.

Le père Noël est très ennuyé par toutes ces discussions.
– Allez-vous cesser de vous disputer ? Nous n'arriverons jamais à temps !… **Arggh** !

Comment faire pour circuler dans ce brouillard qui se lève ? On ne voit même pas le bout de son nez.

À ce moment-là, une lumière rouge illumine la neige et transperce la brume.

– Sauvés ! Une lanterne ! s'écrie le père Noël.
– **Hmm** ! père Noël, ce n'est pas une lanterne ! Ce n'est que moi, Rodolphe ! C'est mon nez rouge qui…
– Mais oui ! Pourquoi n'y ai-je pas pensé plus tôt ? Rodolphe, c'est toi qui guideras mon traîneau cette nuit !
– Qui… qui… moi ? ! bégaie le petit renne, dont le nez rougit encore plus fort tellement il est gêné.

Mais Rodolphe est fier et courageux, alors il redresse la tête et vient prendre place en avant. **Attelle, attelons, attelage** ! Tous les autres rennes se sentent un peu honteux, **hon, hon, hon** ! de s'être tellement moqués de Rodolphe. Maintenant, ils sont très heureux de pouvoir profiter de sa lumière pour ne pas se perdre dans le brouillard.

Et par cette froide et brumeuse nuit de Noël, le père Noël et l'équipage conduit par Rodolphe se faufilent à travers les nuages et glissent au-dessus des maisons endormies. Sloussss, slousss, sloussss !

Si, au cours de la nuit de Noël, tu aperçois une lueur rouge dans le ciel, tu peux être sûr que Rodolphe, le petit renne au nez rouge, passe près de là. Car depuis ce fameux soir de grand brouillard, Rodolphe est le premier renne du père Noël. Désormais, c'est lui qui dirige fièrement le traîneau chaque année. Sloussss, slousss, sloussss ! »

– Oh, Grand-Père, ils seront ici dans quelques jours ! Il faudra préparer un verre de ton lait de poule pour le père Noël.

— Il faut 1 tasse de lait, 1 œuf, 1 cuillère
à thé de vanille, 1 cuillère à soupe de sucre.
Tu fouettes bien l'œuf, tu le verses dans un
shaker rempli de glaçons avec le lait froid,
la vanille et le sucre. Tu mélanges bien,
puis tu verses dans un grand verre glacé.
Tu garnis avec un peu de crème fouettée
et une pincée de muscade.

— Me**noum**, **menoum**, me**noum** !
approuve Sacapusse, les moustaches toutes
blanches de crème fouettée.

Le petit renne
au nez rouge

Adapté du *Petit Renne
au nez rouge*, d'Eileen
Daly. Le texte original
a été écrit par Robert
Lewis May (1939),
sous le titre *Rudolf,
the Red-Nosed Reindeer*,
pour la chaîne de
magasins Montgomery
Ward. Par la suite,
l'histoire deviendra
une chanson sous
la plume de Johnny
Marks, le beau-frère
de May. On en a
aussi fait plusieurs
dizaines d'adaptations,
notamment en
dessins animés.

 Babouchka (Russie)
11 décembre

– Grand-Père ! Grand-Père ! J'ai reçu une lettre de mon amie Olga, de Russie ! crie Océane en entrant en trombe dans la maison. Elle dit qu'ils fêtent deux fois Noël dans son pays, comment est-ce possible ?

– En Russie, on fête le Noël catholique le 25 décembre, et le Noël orthodoxe le 6 ou le 7 janvier, répond Grand-Père.

– Grand-Père, dans ton calendrier de l'avent, j'ai trouvé une histoire russe ! s'exclame alors Ulysse qui vient d'ouvrir la petite porte. C'est moi qui vais la raconter.

« Babouchka est en train de filer sa laine, bien au chaud dans son isba. File, filons, filant ! La neige remuée par le vent blanchit les montagnes et les campagnes de Russie. C'est un temps à ne pas mettre un esprit de la maison dehors. Pourtant, quel est ce bruit étrange ? Crounch, crounch, crounch ! fait la neige en craquant.

– Peut-être un ours ! se dit Babouchka en tremblant. Mais non, un ours ne fait pas craquer la neige ainsi.

Elle tend de nouveau l'oreille et entend des bruits de pas : crounch, crounch, crounch ! Cette fois, c'est sûr, elle va recevoir de la visite.

Quelques instants plus tard, toc, toc, toc ! quelqu'un frappe au carreau où le givre dessine de belles fleurs glacées. Babouchka ouvre sa porte lentement, griiiinnn !

Elle aperçoit d'abord un jeune homme qui lui sourit. Puis, un second, plus âgé, et enfin un troisième qui secoue son manteau, flouch, flouch, flouch ! pour se débarrasser d'une épaisse couche de neige. Qui sont donc ces étrangers tout habillés d'or ? Mais ils sont bleus de froid… les pauvres !

– Nous sommes les rois mages ! disent les voyageurs. Nous sommes à la recherche d'un petit prince qui est né cette nuit.

– Nous suivions l'étoile qui nous conduisait à lui, mais la bise, puffff ! l'a poussée trop loin et nous voici perdus, dit Melchior.

– Auriez-vous la bonté, petite mère, de nous guider à travers ces forêts sans chemin, afin d'aller offrir des présents à l'enfant ? demande Balthazar.

Babouchka n'est pas sûre de bien comprendre. Après leur avoir donné à manger, elle les reconduit sur le pas de sa porte et, d'un geste de la main, elle leur montre la direction du sud.

– C'est toujours tout droit !
– Venez avec nous ! lui propose Gaspard.
– Pauvres amis ! Il fait beaucoup trop froid dehors. Je suis trop vieille et fatiguée, il n'est pas question que je fasse un pas dans toute cette neige qui vous glace le cœur.

Et elle referme sa porte. Clac !

Mais, malgré le ronronnement du feu dans sa cheminée, ron ron ron, Babouchka ne parvient pas à se réchauffer. Elle est inquiète pour les trois étrangers. Bien sûr, elle est vieille et usée, mais elle est une bonne fée après tout. Et une bonne fée se doit d'être bonne en toute occasion. Et puis, elle se dit : « J'aimerais tant voir ce petit prince ! Depuis la nuit des temps, mon rôle n'a-t-il pas toujours été d'apporter un peu de magie au-dessus du berceau de chaque nouveau-né ? »

– Arrgggghhh ! Je vais y aller ! Je vais le chercher avec eux. Et rien ne pourra m'arrêter.
Foi de Babouchka !

À la hâte, la vieille fée emplit un grand sac de tout ce qu'il y a de plus beau dans son isba,
enfile ses bottes, son capuchon, ses habits les plus chauds, et se met à trotter, cahin-caha,
cahin-caha, cahin-caha, en direction du sud.

Malheureusement, le vent d'hiver souffle fort, ssssssssshhhhhooouuu ! et efface toutes les traces
des rois mages. Babouchka ne se décourage pas et interroge tous ceux qu'elle croise.

– Avez-vous vu trois rois passer par ici ou par là ?
demande-t-elle à un paysan.
– Des rois ? Par un temps pareil ? se moque-t-il,
en s'éloignant avec un air mécontent.

Puis elle rencontre un berger.
– Avez-vous vu une étoile resplendissante ?
lui demande-t-elle.
– Par milliers, ma pauvre ! Juste au-dessus
de votre tête. Toutes plus étincelantes
les unes que les autres, ricane le
berger.

Elle s'arrête chez un
cordonnier et demande :
– Un enfant roi est-il
né par ici, ces temps
derniers ?

– Des enfants, ma bonne dame, il en naît tous les jours par ici. Mais aucun d'eux n'est roi, je vous le garantis, réplique le vieil homme.

Alors **Babouchka** continue sa route, cahin-caha, cahin-caha, interrogeant tous ceux qu'elle rencontre, mais personne ne peut la renseigner. Jamais la vieille fée ne parvient à rattraper les rois mages.

Depuis, chaque année, **Babouchka** tente de se faire pardonner de n'avoir pas guidé les rois mages et de ne pas être partie avec eux voir l'enfant divin. Chaque Noël, malgré le froid, le vent, la neige, elle se rend donc de maison en maison pour distribuer des cadeaux aux petits enfants qui sont tous devenus pour elle des petits princes et des petites princesses… »

– Et pour vos petites bouches affamées, j'ai préparé un *koutia*, le dessert de Noël de Russie, conclut Grand-Père. J'ai fait cuire 150 g de millet dans un litre d'eau jusqu'à ce les grains soient tendres. J'ai ajouté 150 ml de miel, 100 ml de crème fraîche, 200 g de fruits secs coupés en dés (abricots, raisins, pruneaux, mangues, etc.), 1 pincée de girofle moulu et 1 petite cuillère de vanille. J'ai laissé bien refroidir, et au moment de servir, j'ai parsemé le dessus de noix et d'amandes concassées. Bon appétit !

Babouchka

Babouchka est une légende russe, dont on trouve
plusieurs versions. Il existe une légende
similaire en Italie, avec la vieille fée Béfana.

Avec les catholiques et les protestants, les orthodoxes
représentent la troisième branche de la chrétienté.

Les lutins et le cordonnier (Allemagne)

12 décembre

Grand-père et Élie préparent une couronne destinée à trôner sur la table pendant le repas de Noël. Élie fixe des branches de sapin sur une armature en fil de fer. Puis Grand-Père ajoute des rubans, des pommes de pin et, au centre, il place une grosse bougie.

– Nous avons bien travaillé, c'est maintenant le moment d'ouvrir la petite porte de mon calendrier de l'avent, dit Grand-Père.
– Oh, il y a aussi un biscuit d'épices en forme d'étoile ! s'exclame Élie.
– Une tradition allemande, comme le conte d'aujourd'hui, écoute bien !

« Oskar le cordonnier est pauvre, très, très pauvre. Si pauvre qu'un jour il s'aperçoit qu'il ne lui reste qu'un seul petit morceau de cuir. Le soir, alors que la lune fait son apparition, il **coupe, coupe, coupe, taille, taille, taille** ce dernier petit morceau. Puis, une fois que c'est fait, il va se coucher.

Le lendemain, il s'approche de son établi pour coudre les souliers. Et là ! Il n'en croit pas ses yeux ! Ceux-ci sont bien assemblés et bien cousus. Il prend les souliers, les tourne et les retourne. Quel chef-d'œuvre ! Ils sont parfaits.

Quelques heures plus tard, un acheteur vient à passer.
– Ma foi, cordonnier. Je trouve ces souliers fort à mon goût.

Il pose deux pièces d'argent sur l'établi, **ting, ting !** Bien plus que le prix habituel.

Vite, le cordonnier se précipite chez son voisin le tanneur et avec les deux pièces d'argent, **ting, ting !** il achète deux morceaux de cuir. Le soir même, il **coupe, coupe, taille, taille**... Mais comme le soleil se couche déjà, il se dit qu'il les assemblera le lendemain, et il va se coucher.

Le lendemain, en entrant dans son atelier, il découvre parmi ses outils bien rangés les deux paires de souliers terminées. De splendides chaussures ! Et comme un miracle n'arrive jamais seul, des acheteurs se présentent dès l'ouverture.

Ting, ting, ting ! tinte l'argent qu'on lui donne pour ce beau travail. Maintenant, il peut acheter du cuir pour fabriquer quatre paires de souliers. Et ces quatre-là aussi il les trouve toutes faites au matin. Bientôt, la pauvreté s'éloigne. **Petipa, petitro, petigalo !** Et le cordonnier commence à mener une meilleure vie. Ce n'est pas encore la richesse, mais presque.

Et puis, un soir, à la veille de Noël, après avoir taillé son cuir, alors qu'il songe à aller se coucher, il dit à sa femme, Greta :
– Et si, cette nuit, nous restions à l'atelier pour voir qui nous aide si généreusement ?

Greta allume une chandelle neuve et le couple se cache dans une grande armoire.

À minuit tapant, **ding, dang, dong**! arrivent deux petits farfadets tout nus qui s'installent sur l'établi. De leurs petits doigts agiles, ils se mettent à assembler, coudre, piquer et clouer. **Cousi, cousa, cloua, cloué**! à une vitesse incroyable. On dirait même que les morceaux de cuir volent entre leurs mains.

Le lendemain, Greta dit à Oskar :
– Ces petits êtres nous ont apporté la richesse. Nous devrions leur montrer notre reconnaissance. Comme ils n'ont pas de vêtements, je vais leur coudre de petites culottes, de petites chemises, de petites vestes et même leur tricoter de petites chaussettes. Et toi tu leur confectionneras de petites chaussures.

– Avec plaisir ! s'exclame Oskar.

Le soir, quand tout est terminé, Oskar et Greta posent les petits vêtements sur l'établi, à la place du cuir qu'ils ont l'habitude d'y laisser. Puis, ils retournent dans la grande armoire pour voir comment leurs présents seront accueillis.

À minuit tapant le soir de Noël, **ding, dang, dong**, les deux lutins arrivent pour se mettre au travail. Mais au lieu du cuir, ils trouvent les vêtements laissés pour eux. Ils sont d'abord étonnés, puis très heureux, et ils s'habillent de la tête aux pieds.

– Nous sommes comme des princes, pourquoi encore jouer les cordonniers ? chantent-ils.
La la lère ! La la lère !

Joyeux et bondissants, ils se mettent à danser, à gambader comme des petits fous, **ta ga da, ta ga da !** à sauter par-dessus les chaises et les bancs. Puis, toujours en faisant des espiègleries, ils sortent de la cordonnerie. Depuis ce jour-là, Oskar ne les a jamais revus, mais il ne manque plus de travail et il n'est plus pauvre. »

– Grand-Père, est-ce que ce sont les lutins qui t'ont aidé à faire tes biscuits d'épices ?
Ils sont tellement bons ! s'exclame Élie.

Les lutins et le cordonnier

Adapté du conte « Le cordonnier et les lutins »,
publié dans *Contes de l'enfance et du foyer*,
tome 1, de Jakob et Wilhem Grimm.
Depuis 2005, cet ouvrage fait partie du
Registre international « Mémoire du monde »
de l'UNESCO.

Le petit sapin (États-Unis)
13 décembre

Hadrien allume des dizaines de bougies qu'il a dispersées un peu partout dans la maison de Grand-Père.

– Aujourd'hui, c'est la Sainte-Lucie, une tradition qu'on célèbre dans tous les pays scandinaves, explique le jeune conteur. Lucie est un nom qui veut dire « lumière ». La lumière qui combat l'obscurité qui s'installe très tôt en hiver.

C'est donc à la lueur des bougies que Hadrien ouvre la porte du calendrier de l'avent pour découvrir, en plus d'un petit pain au safran, une charmante histoire qu'il s'empresse de raconter à Grand-Père.

« **Petit Sapin** est un mignon petit arbre, tout mince, tout pointu qui pousse dans une forêt remplie de très grands sapins, forts, touffus et d'un vert très foncé. **Petit Sapin** est très malheureux d'être aussi différent. Il aimerait tant être aussi grand et costaud que les autres.

Lorsque la famille Petits Oiseaux arrive et volette autour de lui, il les appelle :
– Venez, mes amis ! Venez vous reposer sur mes branches !

– **Cui cui cui cui !** Oh non, tu es trop petit, trop petit ! disent-ils en chœur avant de se poser sur les branches des plus grands et des plus forts.

Parfois, le puissant Monsieur Vent souffle. **Chouhou chouhou chouhou !**
Il courbe les grands sapins et se penche pour leur chanter sa chanson :
chouhou chouhou chouhou !

– S'il te plaît, ami Vent, descends un peu et viens jouer avec moi !

Alors le vent le regarde de haut.
– **Chouhou,** non, tu es trop petit, trop petit !

Et lorsque vient l'hiver, dame Belle-Neige descend doucement et confectionne un beau manteau et un petit bonnet blanc et tout doux-doux aux grands sapins. Mais **Petit Sapin,** lui, ne reçoit jamais un flocon.

– S'il te plaît, Belle-Neige, donne-moi aussi un petit bonnet tout doux-doux. J'en voudrais un !

Mais dame Belle-Neige répond :
– Oh non, tu es trop petit, trop petit !

Parfois des hommes viennent dans la forêt avec des traîneaux et des chevaux. Ils viennent pour couper les grands arbres et les emmènent. **Petit Sapin** se demande bien où. **Petit Sapin** écoute attentivement ce que se disent les hommes.

– Celui-là fera le mât d'un très grand navire, il voyagera sur les océans et verra des choses incroyables dans les pays étrangers.

– Ah, celui-là deviendra la poutre centrale d'une grande maison, il en entendra et en verra des merveilles.

Petit Sapin soupire. Il aimerait tellement voir toutes ces belles choses lui aussi. Mais les hommes passent toujours devant lui sans même le regarder.

Toutefois… Un jour, par une froide matinée d'hiver, les hommes reviennent avec leurs traîneaux et leurs scies. Ils coupent par ici, ils coupent par là.

– **Hum !** il n'y en a pas d'assez petit ! soupire un homme.

Alors **Petit Sapin** dresse ses aiguilles vers le ciel.

– Ah ! mais si, en voilà justement un ! s'écrie enfin le bûcheron en tapotant la tête de **Petit Sapin**. Il est juste assez petit !

Petit Sapin est si heureux qu'il en craque de plaisir : **criiiic criiiic criiiic !** Enfin, on le coupe, puis on l'allonge sur le grand traîneau.

– Au revoir, amis de la forêt ! Je vais sûrement devenir le mât d'un beau bateau ou soutenir une belle et grande maison !

Mais quelle déception ! Arrivé dans une maison de bois, on le plante tout droit
dans un pot et il se retrouve ensuite aligné avec d'autres petits sapins le long d'un trottoir.
Des gens passent devant eux, mais quand ils le voient, ils disent tous :
– Oh non, pas celui-là, il est trop petit, trop petit !

Finalement, un matin, deux dames arrivent. Elles observent attentivement les sapins.
– Nous voulons celui-là ! Il est juste assez petit !

« Hum ! j'ai bien hâte de découvrir ce qu'elles vont faire de moi ! » pense **Petit Sapin**.

Quelques minutes plus tard, il sent des caresses sur sa tête, sur ses branches, sur ses aiguilles.

– Hiiiiiiii ! Ça chatouille !

Il penche la tête et découvre des guirlandes de duvet blanc qui pendent tout autour de lui.
Des petites perles dorées et des boules d'argent sont accrochées à ses branches, et tout en haut,
il a une superbe étoile scintillante. **Petit Sapin** a le souffle coupé par tant de beauté.

« Pourquoi toutes ces merveilles, juste pour moi ? Qu'ai-je fait de particulier ? » se demande-t-il.

Finalement, tout le monde s'en va et il se retrouve seul dans le noir. Tout à coup, des lumières
se mettent à clignoter sur tout son corps. C'est magique, c'est chaud, c'est amusant !

Mais que se passe-t-il ? Les deux dames le **roulent, rouli, roulant,** à travers des couloirs.
Puis, elles l'installent près de petits lits dans lesquels des enfants soutenus par des piles d'oreillers
le regardent avec des yeux émerveillés. **Petit Sapin** remarque aussi d'autres enfants assis
sur des chaises avec de grandes roues, d'autres sont pâles et n'ont plus de cheveux…

« Pourquoi tous ces petits semblent-ils si fatigués ? Ils ont l'air si malades… »

Mais, avant que **Petit Sapin** puisse se poser d'autres questions, il entend des cris :
– **Oh, oh** ! **Hmm** ! **Hmm** ! Comme il est joli ! Comme il est beau ! C'est le plus merveilleux !

Petit Sapin comprend alors que les enfants parlent de lui. Il se redresse de toutes ses aiguilles, plus droit que le mât d'un navire, plus fort que la poutre d'une maison. Il frissonne de joie.

– C'est le plus bel arbre de Noël que j'aie jamais vu ! s'écrie à cet instant une minuscule fillette allongée dans un grand lit.

Et c'est ainsi que **Petit Sapin** apprend qu'il est un sapin de Noël. Il en est tout heureux. De sa tête brillante à ses pieds, il est juste assez petit pour être le plus bel arbre du monde pour les enfants de l'hôpital. »

– Grand-Père, ton histoire me donne une idée ! s'exclame Hadrien. Je vais aller porter des petits pains et des biscuits aux enfants malades.

Le petit sapin

Adapté de *The Little Fir Tree*, de Sara Cone Bryant, d'après une histoire de Hans Christian Andersen.

Entre 2000 et 1200 avant J.-C., un arbre, l'épicéa, symbole de l'enfantement, est honoré vers la fin décembre pour célébrer la renaissance du soleil. Dès le XIe siècle, l'arbre de Noël, garni de pommes rouges, symbolise l'arbre du paradis. Un siècle plus tard, la tradition du sapin décoré apparaît en Alsace (France) et en Allemagne.

Casse-Noisette (Allemagne)

14 décembre

Océane et Ulysse trouvent que Grand-Père a un petit air mystérieux lorsqu'il les invite à ouvrir sans tarder la porte du jour de son calendrier de l'avent.

Les enfants découvrent un gros sac de noisettes et deux billets de spectacle.
– Chouette ! s'écrit Océane. Des billets pour le spectacle de Casse-Noisette !

« C'est le soir de Noël, chez Franz et Clara. Ils attendent la visite de leur oncle, l'horloger. Celui-ci leur apporte souvent d'étranges jouets qu'il fabrique lui-même. Ah! le voilà qui arrive !

À peine entré, il sort de sa poche une sorte de poupée en bois, droite comme un petit soldat, avec une grande bouche qui sert de casse-noisette. Clara prend l'objet pour voir de près comment il fonctionne.

– Non, moi ! Moi ! crie Franz.

Et tire, et tire, et tire ! Clara ne le lâche pas. Et **craaaaac!** Le casse-noisette est cassé.

Clara pleure, pleure, pleure.
– Ne pleure pas. Je vais le réparer ! dit l'oncle.

Il prend un des rubans blancs de la robe de la petite fille, et fait un bandage pour remettre la mâchoire en place. **Clac !**

– Allez hop, Franz ! Hop, Clara ! Allez vite au lit !
Vous êtes trop énervés ce soir ! dit Maman.

Clara laisse son nouveau jouet dans un petit lit
au pied du sapin et s'en va se coucher.

L'oncle-horloger vient lui souhaiter bonne nuit
et lui raconte une bien curieuse histoire.
– Tu sais, Clara, ce casse-noisette n'est pas
une poupée ordinaire. Il y a un jeune homme
qui se cache à l'intérieur.

Clara ouvre de grands yeux étonnés.

– Cela se passe il y a longtemps. Un roi et une reine
viennent d'avoir une fille, la princesse Pirlipat.
Mais elle est très laide à cause d'un mauvais sort
lancé par le Roi des souris. Cependant, si un jour un
homme veut délivrer la princesse de sa laideur, il le pourra.
Il lui faudra pour cela casser une noix **krakatuk** très dure avec ses dents, **crooooooc !**
et donner le fruit à manger à la princesse. Bien des jeunes gens sont venus pour tenter de délivrer
la princesse, mais, jusqu'à présent, ils s'y sont tous cassé les dents. **Crooooooc !**

Or, un jour, mon neveu Nathaniel, qui a entendu parler de cette histoire, se présente au château.
On lui apporte la fameuse noix **krakatuk** très dure et, d'un coup de dent, d'un seul coup
de mâchoire, **crooooooc !** il l'ouvre et en offre le fruit à la princesse. Pirlipat mange cette noix
et, par enchantement, se transforme en une magnifique jeune fille. Nathaniel, ébloui par tant
de beauté, recule de trois pas pour saluer la princesse. Mais **kaïïïïïïïïï !** il marche sur la queue
d'une souris. **Kaïïïïïïïïï !** Le Roi des souris, furieux, lui jette aussitôt un mauvais sort.

– Tête de pioche, tête de noix, je te transforme en casse-noisette de bois !

Pirlipat ne veut pas d'un casse-noisette pour mari, alors on jette Nathaniel en dehors du château. Allez, ouste ! Et voilà l'histoire de mon neveu. Allez, Clara, dors bien maintenant et fais de beaux rêves !

L'oncle éteint la lumière, sort et ferme doucement la porte. Clara tourne et se retourne dans son lit. Impossible de dormir. Elle décide d'aller chercher son casse-noisette.

En arrivant au salon, elle trouve que les choses sont un peu bizarres. Elle se sent devenir toute petite. Rapetisse, rapetissa, rapetissons !

Bientôt toute une armée de souris, klirr, klirr, gnott, gnott... descend du sapin de Noël et encercle Casse-Noisette. Le petit bonhomme se lève et appelle à l'aide les soldats de bois de Franz. Ratatata, ratatata, ratatata ! fait le petit tambour. Tous ensemble, ils se placent en ordre pour affronter les souris.

– Knack, knack, knack ! Souris au bivouac vaut à peine une claque ! Quel micmac dans le sac ! Cric crac !... lance Casse-Noisette.

Le Roi des souris fonce directement sur Casse-Noisette. Voyant cela, Clara attrape son chausson, vise le roi et, pif, paf, pouf ! elle l'assomme avec sa pantoufle. Ouch ! Les souris emportent vite leur chef et se retirent du champ de bataille. Casse-Noisette se précipite vers Clara pour la remercier.

– Tu m'as sauvé la vie !

Mais que se passe-t-il ? Quels sont ces bruits étranges ? Hink ! honk ! hank ! Casse-Noisette prend vie et se transforme en un magnifique jeune homme. Clara n'en croit pas ses yeux.

– Viens avec moi, lui dit-il, je vais t'emmener dans un endroit magique.

Et les voilà emportés dans un tourbillon de flocons de neige,
tournicoti, tournicota, tournicoton ! Dans leur valse folle,
ils voyagent dans les airs. Finalement, ils arrivent au royaume
de Confiturembourg, où une fée les accueille avec douceur :

— Ah ! vous voilà enfin ! Je vous attendais pour le goûter.
Venez vite jusqu'au royaume des gourmandises, au fabuleux
pays des friandises.

Clara est époustouflée. Le paysage est féerique : les chemins
sont en caramel, les fontaines débordent de jus d'orange,
il y a des maisons en nougat, des escaliers en biscuit,
et le palais de la fée est tout en choux à la crème.

— Votre voyage s'est bien passé ? demande la fée.

— Oui, répond Casse-Noisette. Mais nous avons
dû affronter l'armée des souris et, sans Clara,
je crois bien que je serais mort à l'heure
qu'il est.

Clara sourit, fière d'avoir pu aider
ce vaillant et beau garçon
qui lui tient la main.

— Allez, venez
goûter à mes
douceurs.

La fée conduit les deux enfants vers une table magnifique où se dressent de délicieux et succulents gâteaux accompagnés de boissons fraîches et d'autres chaudes dans une vaisselle étincelante. Puis d'un coup de baguette magique, tric, trac, tric, trac ! elle appelle des musiciens et des danseurs. Le Prince Chocolat exécute une danse espagnole endiablée, en tapant des pieds, tap, tap, tap ! Puis le chevalier Café d'Arabie arrive. Il semble flotter au-dessus du sol comme un doux parfum. Le comte Thé de Chine fait son apparition, glurp, glurp, glurp ! Il bouillonne en tournant comme une toupie. Alors, les courageux et intrépides petits bonbons russes à la menthe s'élancent en faisant des culbutes. Klapp et klipp ! Klapp et klipp ! Et voici les danseuses en pâte d'amande… C'est la plus belle fête que Clara n'ait jamais vue. Mais le clou du spectacle, c'est la danse des Fleurs, lorsqu'une cascade de pétales en sucre déferle et tourbibi, tourbiba, tourbillonne !

– C'est merveilleux ! se dit Clara. Je voudrais que toutes les fêtes soient aussi joyeuses et belles que celle-ci.

Mais c'est déjà l'heure de partir. Clara embrasse la fée et remercie tous les danseurs. Puis elle prend la main de Casse-Noisette et tous deux s'éloignent… loignent, loignent, loignent…

Lorsque Clara ouvre les yeux, elle est dans son lit. Le casse-noisette en bois est là, à ses côtés. Clara dénoue lentement le ruban blanc autour de la mâchoire. Mais… mais c'est un miracle ! La mâchoire est réparée.

À cet instant, on frappe alors à la porte : toc, toc, toc !

– Entrez ! claironne Clara.

À la porte, c'est l'oncle et un très beau garçon : Nathaniel en chair et en os, en tout point identique au jeune Casse-Noisette du rêve de Clara. D'un pas lent, il se dirige vers la petite fille et lui donne la main pour l'aider à sortir de son lit. Il lui sourit. Nathaniel demande à Clara si elle veut être sa fiancée. La petite fille se jette au cou de son amoureux. Car oui, à Noël, tout est possible ! »

– J'ai tellement hâte de voir le ballet, merci ! lance Océane en appliquant un gros baiser sonore sur la joue de son gentil grand-père.

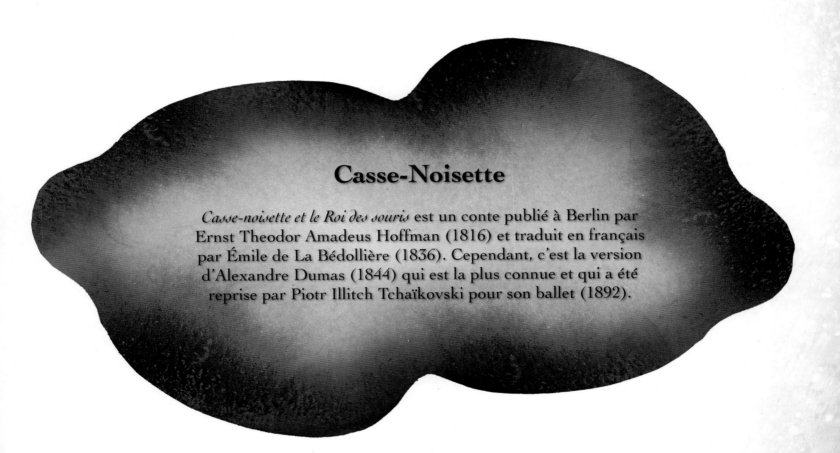

Casse-Noisette

Casse-noisette et le Roi des souris est un conte publié à Berlin par Ernst Theodor Amadeus Hoffman (1816) et traduit en français par Émile de La Bédollière (1836). Cependant, c'est la version d'Alexandre Dumas (1844) qui est la plus connue et qui a été reprise par Piotr Illitch Tchaïkovski pour son ballet (1892).

Le Noël du vieux sonneur de cloche (Québec)

15 décembre

Grand-Père ajoute une grosse bûche dans le foyer, tandis qu'Élie ouvre la porte du calendrier de l'avent. Derrière une petite canne en sucre rouge et blanche se trouve un petit rouleau de papier avec l'histoire du jour : un conte québécois, comme Élie les aime tant.

– Raconte, Grand-Père !

« **Ding, dong, ding !** sonne la vieille horloge. Joseph, qui ne dort que d'un œil, ouvre tout grand l'autre. **Mouâou !** proteste Finaude, la vieille chatte roulée en boule à ses pieds.

– **Mouâou !** Il n'est pas minuit, voyons ! gronde-t-elle.

Mais Joseph se laisse glisser en bas du lit, en grognant un peu à cause de ses rhumatismes. **Ouch, aille, ouch !** Il enfile ses vieilles pantoufles et jette un coup d'œil à l'horloge, où les aiguilles s'acheminent tranquillement vers minuit.

Ainsi, c'est la veille de Noël encore une fois. Tout à l'heure, la Marie-Noëlle l'annoncera de sa voix toute neuve dans la campagne, avec allégresse, et les enfants chanteront dans le chœur de la petite église :
Il est né le divin Enfant !

Ah ! il en a tant sonné des carillons de Noël dans sa vie.
Dong, dong, dong ! Il en a tant vu, des jours de Noël !
Des joyeux, des moins joyeux, des tristes. Il en a entendu
des rires, ha, ha, ha ! des chansons, des tintements
de grelots, dreling, dreling, dreling !

Tout à coup, ding, dong, ding, dong ! l'horloge
sonne de nouveau. Dans quelques minutes, il sera
minuit. Ce n'est pas le moment d'arriver en retard.

Aujourd'hui, pour la première fois, la Marie-Noëlle
va se mettre en branle. Pour Joseph, c'est l'occasion
de voir s'il lui reste assez de force pour agiter la cloche
toute neuve que le curé a décidé d'inaugurer, pour la messe
de minuit. Joseph recouvre son feu d'un peu de cendres.
Mouâou ! proteste Finaude, qui aimerait bien profiter
encore de la chaleur. Puis le vieil homme sort.

Dans le ciel d'hiver, la lune fait étinceler
le givre en dentelles sur les branches des arbres et les petites
maisons débordantes de neige.

Petit à petit, Joseph voit arriver tous les habitants
du village qui se rendent à l'église, en balançant
des lanternes sur le chemin tortueux bordé
de neige.

En passant devant les maisons, Joseph sait qu'il ne reste dans chaque logis qu'une petite lampe allumée au coin du foyer, la bûche de Noël qui crépite, des chats qui agitent leurs moustaches à l'odeur des galettes et des jambons.

Au loin, soudain, il perçoit un bruit de clochettes. **Kling, kling, kling, kling !** Ce n'est pas encore le traîneau du père Noël, mais celui de Monsieur Bernard qui arrive avec sa famille.

Le vieil homme soupire en passant devant le presbytère. Par la petite fenêtre de la cuisine, le parfum de la dinde qui tourne sur la broche, devant la flamme bleue et or des pommes de pin, vient lui chatouiller les narines.

Est-ce que dame Catherine le reconnaîtra sous son gros manteau saupoudré de neige et lui fera goûter les marrons rôtis, qui sont en train de griller tranquillement, lorsqu'il repassera tout à l'heure ?

Il arrive enfin à l'église. Mais personne n'ose entrer tant que la Marie-Noëlle n'a pas donné le signal. Le vieil homme ouvre la porte et se dirige devant la crèche. Et là, de toutes ses forces, il tire sur la corde pour mettre la Marie-Noëlle en branle. **Dong, dong, dong, dong !**

Ô surprise ! Dès les premiers tintements, un bruit d'ailes, **floussssh,**
floussssh, floussssh, et des cris aigus montent au-dessus
de sa tête. **Pia, pia,** pia, **pia,** pia, **pia** !

Le vieux pense d'abord qu'il a effrayé une colonie de hiboux.
Il se pend à sa corde et tire de plus belle. **Dong, dong, dong, dong** !
fait la Marie-Noëlle.

Tout à coup, une masse soyeuse vient s'abattre à ses pieds. Joseph se penche
et regarde. C'est un nid énorme, comme ceux que construisent les moineaux
pour passer l'hiver. Sans s'en douter, Joseph vient de briser l'abri de vingt petits êtres.
Oh non ! Que vont-ils devenir ? Il les suit des yeux dans le ciel de décembre d'un bleu glacial.

– Les pauvres petites bêtes ! se lamente Joseph. Le froid va glacer leur sang et ils tomberont
l'un après l'autre comme des feuilles gelées. Et c'est ma faute ! À moi, Joseph la brute !
Ah, si j'avais sonné plus doucement. Leur fragile petite maison aurait pu tenir bon jusqu'au
prochain printemps.

Joseph ramasse le nid tombé à terre, pour ne pas le laisser piétiner tout à l'heure par les grosses
chaussures des habitants. Puis, il le glisse dans son manteau. Pendant toute la messe, Joseph
a la tête ailleurs.

Il ne se pardonne pas le malheur qu'il vient de causer, sans le vouloir. Les voix des enfants chantent,
Il est né le divin Enfant, mais aujourd'hui, ce ne sont pas ces voix si pures qui le font pleurer.
Il est tellement triste.

Le regard fixé sur la crèche, il pense aux petits oiseaux. Il y a ici une botte de paille
et de la mousse, de quoi refaire une douzaine de nids… mais voilà, les moineaux
ne le savent pas, eux !

La messe de minuit terminée, tout le monde s'en va. À pas lents, Joseph reprend le chemin de sa maisonnette. En passant devant la fenêtre de dame Catherine, il n'a pas une seule pensée pour la dinde aux marrons. Il jette un coup d'œil sur le traîneau de Monsieur Bernard, les jolies clochettes ne chantent plus. Plus de traces des petits oiseaux. Les flocons de neige tremblent dans le ciel.

Soudain, un cri… **cuiiiiii !** puis un petit bruit léger sur le sol. Joseph penche la tête.

Un petit oiseau est tombé à ses pieds. Il le ramasse vite. Joseph sent le petit cœur qui palpite au fond de sa grosse main. Celui-là, il va le sauver ! Avec précaution, le vieillard le glisse sous sa chemise. Il accélère le pas. Il ne regarde plus avec envie les vitres des maisonnettes illuminées, il ne guette plus le passage du père Noël. Son cadeau de Noël, il le tient fermement contre lui. Il entre vite chez lui.

Joseph tournicote dans la maison à la recherche d'un abri sûr.

– **Hé, hé!** Il n'y aura pas de meilleur refuge que la vieille horloge. Il dépose le nid à l'intérieur, et jette un long regard à Fifi, son nouvel ami, dont les yeux sont redevenus vifs et les plumes lisses.

À cet instant, par la cheminée de la chaumière, un rayon de lune se glisse, une lune de nuit de Noël, tandis que Joseph écoute si une petite voix d'oiseau ne sort pas d'une vieille horloge pour chanter : **Noël! Noël!** »

– Joseph a fait une belle action de Noël en sauvant ce moineau, n'est-ce pas Grand-Père ? Car ce n'est pas sa faute si le nid est tombé.

– Tu as raison, Élie. Et désormais, avec Finaude et le petit oiseau, il se sentira moins seul.

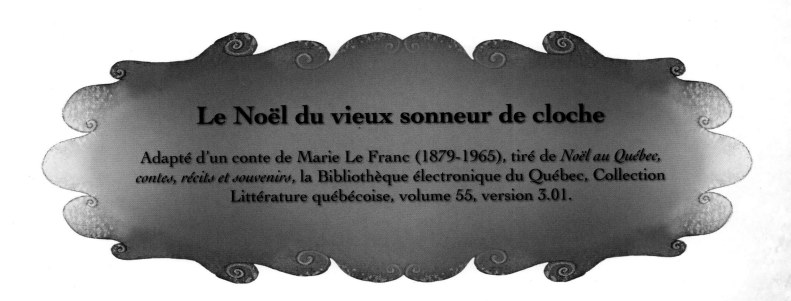

Le Noël du vieux sonneur de cloche

Adapté d'un conte de Marie Le Franc (1879-1965), tiré de *Noël au Québec, contes, récits et souvenirs*, la Bibliothèque électronique du Québec, Collection Littérature québécoise, volume 55, version 3.01.

Tit'Pom (France)

16 décembre

Océane et Ulysse arrivent chez Grand-Père au son de castagnettes et de maracas. Elle est déguisée en Marie et lui, en Joseph.

– Eh bien ! Eh bien ! Que se passe-t-il ? demande Grand-Père, tout étonné.

– C'est une tradition qui vient du Mexique, explique Ulysse. Chaque soir de l'avent, des cortèges joyeux frappent aux portes. Puis le 16 décembre, les portes s'ouvrent et chacun peut découvrir les illuminations.

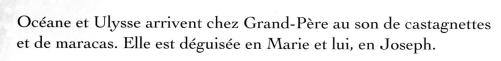

– Et les enfants cassent les *piñatas*, en terre cuite décorées, qui contiennent de l'eau, des confettis ou des bonbons ! ajoute Océane.

– Comme je n'ai pas de *piñata*, dit Grand-Père, je t'invite plutôt à ouvrir mon calendrier de l'avent.

– Ah ! une histoire qui vient de France. C'est moi qui la raconte ! dit Océane, en déroulant le rouleau de papier.

« Tit'Pom est un enfant très sage, très très sage. Comme il a de belles joues rouges, on l'appelle Tit'Pom. Il habite une petite maison dans la montagne, tout près d'une grande forêt de sapins, où il va souvent se promener. Promène, promenons, promenade !

Il met son bonnet rouge à pompon et s'en va rendre visite à ses amis. Dans la montagne, tout le monde connaît et aime Tit'Pom.

Les petits et les grands sapins murmurent : « Voilà Tit'Pom ! Bonjour Tit'Pom ! »
Tous les animaux s'approchent de lui. Les oiseaux, les écureuils, les lapins et même les papillons
répètent en chœur : « Bonjour Tit'Pom ! »

Mais voilà que ce jour-là, à la veille de Noël, Tit'Pom est laissé seul à la maison pendant
que ses parents sont partis faire quelques courses.

– Oui, maman ! Je te le promets. Je vais attendre gentiment votre retour à la maison.
Vous pouvez partir sans crainte.

Tit'Pom joue dans la neige pendant une heure
ou deux, puis rentre à la maison pour s'amuser
un peu avec son chat Miaou, et faire des
coloriages. Mais le soir arrive.
Tit'Pom s'ennuie. Il regarde
par la fenêtre. Tout à coup,
clink ! il a une idée !

– Je vais faire une surprise
à papa et maman. Je vais aller
à leur rencontre.

Il met son bonnet rouge à pompon et s'en va sur le petit sentier.
Promène, promenons, promenade !

En le voyant sortir, les sapins se demandent bien où il va
si tard. Sur le chemin, Tit'Pom n'aperçoit toujours
pas ses parents. Il trotte, trotti, trotta !
Tant et si bien que bientôt il fait noir.

Tit'Pom décide de rebrousser chemin pour
rentrer à la maison. Mais marcher dans la neige
est difficile. Parfois, il s'enfonce jusqu'aux
genoux et il est fatigué. Au bout d'un moment,
il arrive devant un grand sapin ; il ne trouve
plus le sentier. Il fait nuit, il est perdu
et il a froid. Tit'Pom se met à pleurer.
Snif, snif, snif ! Le grand sapin
le touche de ses basses branches.

– Oh, Tit'Pom s'est perdu !
dit-il aux autres arbres. Et les sapins
répètent la nouvelle aux écureuils qui
le disent aux oiseaux qui le chantent
aux lapins. « Tit'Pom s'est perdu ! »
Le grand sapin soulève alors Tit'Pom avec
ses grandes branches et se met à le bercer.
« Dododo, Tit'Pom ! Dododo ! » Afin qu'il ne prenne
pas froid, les écureuils et les lapins viennent se blottir contre lui pour le réchauffer.
Avec tous ses amis autour de lui et bien au chaud, Tit'Pom est rassuré et il s'endort.
ZzzzZZZzz !

Mais les vieux sapins savent que c'est la nuit de Noël. Il faut
que Tit'Pom ait sa fête. Ils guettent le passage du père Noël.
Dès qu'ils voient son traîneau, ho ho ho ! ils l'appellent
et lui expliquent ce qui est arrivé.

Avec l'aide d'un nuage de neige, le père Noël décore alors le plus grand sapin
de la forêt d'étoiles et de fils d'argent. Puis il demande à Dame la Lune de l'éclairer.
Enfin, tout doucement, le père Noël réveille Tit'Pom.

– Ho ho ho ! Regarde, regarde Tit'Pom !

L'enfant ouvre ses yeux. Le grand sapin d'argent brille et éclaire toute la forêt.

– Oh ! c'est tellement beau !

Il applaudit très très fort, en riant. Clap, clap, clap !
Le lendemain matin, ses parents le retrouvent endormi
sous les branches du sapin. De retour à la maison, Tit'Pom
trouve dans son bas des chocolats et des tas de jouets.

Plus tard, il raconte son aventure à ses copains
de classe :

– Le père Noël m'a apporté des jouets et plein
de chocolat. Mais il m'a aussi donné le plus beau
cadeau du monde : un grand sapin d'argent.
Un sapin immense, plus haut que la maison
et tout brillant.

– Ha ha ha ! rigolent ses copains.
Tu as rêvé, Tit'Pom.

Personne ne veut le croire. Pourtant,
c'est bien vrai. Tit'Pom est si gentil
avec ses amis de la forêt qu'ils lui ont fait
un cadeau extraordinaire : un magnifique
sapin d'argent qui a illuminé pour lui
seul cette belle nuit de Noël. »

– Très bien, très bien, ma petite-fille !
la félicite Grand-Père. Vous pouvez
maintenant croquer la belle pomme
d'amour croquante qui se cache
derrière la petite porte.

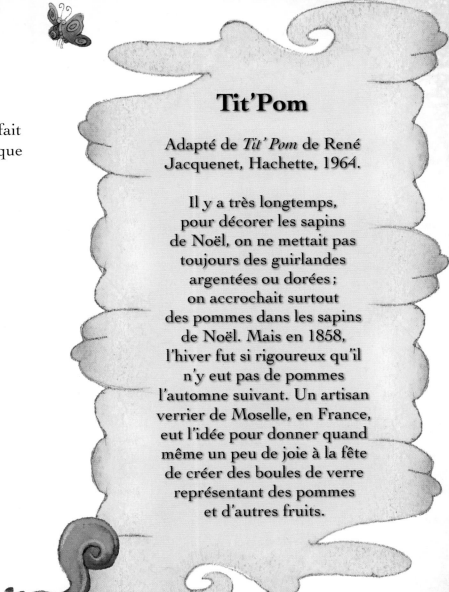

Tit'Pom

Adapté de *Tit'Pom* de René
Jacquenet, Hachette, 1964.

Il y a très longtemps,
pour décorer les sapins
de Noël, on ne mettait pas
toujours des guirlandes
argentées ou dorées ;
on accrochait surtout
des pommes dans les sapins
de Noël. Mais en 1858,
l'hiver fut si rigoureux qu'il
n'y eut pas de pommes
l'automne suivant. Un artisan
verrier de Moselle, en France,
eut l'idée pour donner quand
même un peu de joie à la fête
de créer des boules de verre
représentant des pommes
et d'autres fruits.

Les visiteurs inattendus (France-Russie)

17 décembre

Lorsque Élie arrive, Grand-Père est en train de chanter : ♪ ♪ ♪ ♪ ♪ ! Prépare la table, les invités vont arriver. ♪ ♪ ♪ ♪ ♪ ! Le Seigneur des Cieux est avec ses trois anges. Le premier est un soleil brillant, le second une lune qui luit et le troisième ange est comme une pluie fine ! ♪ ♪ ♪ ♪ ♪ !

– Je ne connais pas cette chanson, dit Élie.

– Ah, c'est un vieux chant russe, un *koliadka* de Noël, censé apporter la prospérité et le bonheur dans la maison.

– C'est donc un conte russe qu'il y a derrière la petite porte de ton calendrier de l'avent !

– Un conte français populaire en Russie, plutôt. Écoute bien, Élie !

« **Martin,** le vieux cordonnier, vit seul dans un petit village perdu au creux des montagnes. Depuis bien longtemps son fils a quitté la maison et il n'a jamais de ses nouvelles ; quant à sa femme, elle est morte depuis des années déjà. Il est seul au monde, et pourtant **Martin** est un vieux monsieur très gentil et accueillant. Tout le monde l'aime beaucoup dans la région.

Un soir, dans la nuit précédant Noël, **Martin** fait un rêve. Il voit le père Noël qui lui dit :
– **Martin ! Martin ! Ce soir, c'est** Noël. **Je viendrai chez toi !**

Le sympathique cordonnier est rempli de joie. Voilà bien longtemps qu'il n'a pas reçu de si grande visite. **Vite, vite, vite !** Il nettoie sa boutique, **frotti, frotta, frottons !** Il prépare un bon repas, déblaie la dernière neige, **pelleti, pelleta, pelletons !** et décore sa petite maison. Tout est prêt pour accueillir dignement l'important visiteur.

Voilà qu'aux neuf coups de l'horloge, **ding, dang, dong !** Martin entend frapper à la fenêtre.
Toc, toc, toc ! Il court, ouvre la porte : c'est un petit enfant tout en pleurs qui cherche sa mère.
Vite, le vieux **Martin** rassure le petit garçon et se hâte de le reconduire chez ses parents.

Puis, il retourne rapidement à la maison. Il espère que le père Noël n'est pas venu entre-temps.
Il patiente depuis un bon moment, quand tout à coup, quelqu'un frappe de nouveau à la porte.
Toc, toc, toc !

Ah, cette fois, c'est une vieille grand-mère, qui tremble de froid.
– S'il vous plaît, monsieur… Puis-je me reposer quelques instants avant de rentrer chez moi ?

Pris de pitié, **Martin** offre à la vieille grand-mère un bon chocolat bien chaud et quelques biscuits.
Après s'être réchauffée, la grand-mère le remercie et reprend sa route dans la tempête de neige
qui souffle : **hou hou hou hou !**

L'horloge égrène encore les heures : **tic, tic, tic** !

Une troisième fois, le vieux **Martin** entend le pas d'un visiteur.
– Cette fois, c'est lui ! s'écrie **Martin** en ouvrant toute grande la porte.

Mais non, c'est un sans-abri, affamé, avec de vieilles bottes aux pieds, et un manteau troué sur le dos.

Le vieux **Martin** n'est pas riche, alors il lui donne un bol de gruau, ses propres chaussures
et quelques vêtements plus chauds, puis le sans-abri s'en va, le cœur tout joyeux.

Les douze coups de minuit se sont depuis longtemps éteints dans la nuit. Personne d'autre n'est venu.

Déçu, fatigué, le vieux cordonnier plonge dans un profond sommeil. Soudain, il sursaute ;
ses yeux ont peine à soutenir la lumière éclatante qui baigne sa maison. Une voix très douce l'appelle.
Il la reconnaît.

– **Martin** ! **Martin** !

– C'est **toi, père Noël** ?

– Oui, **Martin** !

– Pourquoi n'es-tu pas venu ? Je t'ai attendu toute la nuit.
Pour toi, j'avais tout préparé, nettoyé, décoré. Je désirais tant te voir.

– Mais, **Martin** ! Je suis venu. Trois fois même ! Et trois fois, tu m'as accueilli avec toute la chaleur
et la gentillesse dont tu as toujours fait preuve. L'enfant tout en pleurs, la grand-mère fatiguée,
le mendiant affamé, c'était MOI ! Et j'ai un magnifique cadeau pour toi. Cours vite ouvrir ta porte.

Martin ne se le fait pas répéter deux fois. Il court à sa porte. Et là que voit-il ? Son fils, avec sa femme et un petit enfant dans les bras. **Martin** comprend alors que son grand garçon est venu lui présenter sa petite-fille qu'il ne connaît pas encore. Pour **Martin**, c'est le plus merveilleux des cadeaux de Noël ! »

– J'adore les chants russes, tu en connais un autre, Grand-Père ? demande Élie, blotti contre le vieil homme, devant la cheminée.

– Demain, nous irons en chanter dans le village, répond Grand-Père. Mais, il faudra se déguiser avec des fausses barbes, des masques et de lourds manteaux, comme on le fait à Moscou.

Les visiteurs inattendus

Adapté du *Père Martin* de Ruben Saillens, popularisé par Léon Tolstoï sous le titre *Le Savetier*.

Les *koliadki* se chantent sous les fenêtres. Les gens de la procession chantent et dansent. Ils portent des masques, des fausses barbes et de lourds manteaux. Les maîtres de maison les remercient et leur offrent nourriture, bonbons et quelques sous.

Le puits de l'étoile (Angleterre)

18 décembre

Océane et Ulysse sont occupés à accrocher la couronne de Noël à la porte de Grand-Père.
C'est important, car c'est un signe d'hospitalité. Elle signifie que ceux qui viendront cogner
à la porte en cette période des fêtes recevront un accueil chaleureux.

– C'est une tradition qui vient d'Angleterre, comme l'histoire que je vais vous raconter aujourd'hui,
explique Grand-Père.

« C'est la nuit de Noël, mais David, le petit berger, se lamente.

– J'ai faim, j'ai froid, j'ai faim, j'ai froid ! Nous n'avons rien à la maison !
Que puis-je bien faire ? Mais oui, le puits ! Le puits des souhaits !

Dans le village, on dit que ce puits exauce les désirs de ceux qui ont le cœur pur. Vite,
David part en courant. Il court vite parce qu'il a peur. Peur des voleurs cachés derrière les arbres.

– Hum ! Cette nuit est bien étrange !

Il lui semble entendre de la musique. Il s'arrête… la chanson aussi !
– Ah, je rêve, c'est le vent !

David repart en courant. Enfin, voici le puits. Ouf !

Il tombe à genoux et implore très fort.
– Puits, puits aux souhaits ! Je t'en prie. Nous n'avons rien à manger
à la maison !

Tout doucement, il ouvre les yeux et se penche vers l'eau pure. Oh ! il y a quelque chose de brillant. Des cercles d'or à la surface de l'eau.

– On dirait une couronne d'étoiles !

David n'a pas vu les rois mages qui viennent d'arriver et qui se penchent au-dessus de lui.

– **Ahhhhhhhhhhhh** ! hurle-t-il en sursautant.
– **Chut** ! Je ne te ferai pas de mal ! murmure Melchior. Que cherches-tu au fond du puits ?
– Le désir de mon cœur, grand seigneur.
– Vraiment ? Est-ce un puits magique ? l'interroge le roi mage.

David hoche la tête.

– Il faut demander avec un cœur pur.
– Honorable Melchior, peut-être pourrions-nous retrouver ce que nous avons perdu ! intervient Balthazar.
– Qu'avez-vous perdu ? les questionne David.
– **L'étoile** !
– **Ha, ha** ! rigole David. Vous avez perdu une étoile !
– Peut-être que… dit Balthazar.
– Vingt fois on l'a perdue, et vingt fois on l'a retrouvée ; pourquoi la chercher dans un puits maintenant ? s'étonne Melchior.
– Vénérable Balthazar, va, prie et regarde ! répond David.

Balthazar va au bord du puits, il prie et se penche.
– Je vois seulement un morceau de ciel. Oh ! la voilà, au centre du puits ! ! !

David lève la tête et regarde le ciel.
– Regardez, c'est une étoile filante ! Elle brille au-dessus de Bethléem !
– Bethléem, enfin ! C'est la fin de notre long voyage ! s'enthousiasme Gaspard.
– Je peux vous guider jusqu'à Bethléem, propose David.

Melchior le fait monter sur son chameau. David est heureux et se met à jouer de la flûte, son unique trésor. Tut turlute ! Tut turlute ! Tut turlute !

– Un petit roi est né cette nuit et nous allons l'adorer ! déclare Melchior.

« Un roi ? Décidément, il y a beaucoup de rois cette nuit ! songe David. Mais, oh ! on ne me laissera probablement pas entrer dans le palais, avec mes habits sales et déchirés… »

Ils arrivent enfin à Bethléem.

– Suivons l'étoile ! indique Melchior.

David pense que l'étoile se trompe, car elle les mène dans un quartier pauvre. Et ça, c'est une étable ! Un roi ne peut pas être là !

Les trois rois entrent dans l'étable. David préfère rester dehors dans la nuit. Mais il se penche un peu pour voir.

« **Pffff** ! Il ne peut pas y avoir de roi là-dedans. C'est bien ce que je disais : un âne, un bœuf, un homme, une femme, des bergers et mes trois amis. Mais… mais pourquoi est-ce si lumineux ? **Oh** ! un bébé dans une mangeoire. Alors ça, c'est le plus extraordinaire de tous les rois que j'aie jamais vus ! Il faut que j'aille le voir de plus près ! »

Mais soudain David se rend compte qu'il n'a pas de cadeau. Il n'a que sa flûte. **Tut turlute** ! **Tut turlute** ! **Tut turlute** !

« Ah non, pas question que je la donne ! C'est tout ce que j'ai au monde ! »

Et pourtant, en voyant ce tout petit enfant, David sent son cœur rempli d'amour. Alors, il dépose sa flûte près de la mangeoire et contemple longtemps le bébé.

Au petit matin, il retourne chez lui, en traînant les pieds.

– Je suis fatigué ! Et j'ai faim !

Il arrive au village et s'arrête près du puits. Puis, il se met à pleurer. Il n'a plus sa flûte, et chez lui, là-bas, il y a toujours la misère, la faim et le froid.

Il prend un peu d'eau et se lave la figure. Mais il n'entend pas l'arrivée d'un chameau. Soudain, il croit entendre des voix. Il relève la tête.

– **Ahhhhhhh** !

– Tu pensais que je t'avais oublié, petit garçon ? Regarde ce que j'ai pour toi ! lui dit Melchior.

Clink, clink, clink ! font les pièces d'or dans la main du roi mage.

– Oh ! Merci ! Merci ! Merci ! Je vais en donner à tout le village ! Personne n'aura plus jamais froid ni faim !

– Lorsque je t'ai vu donner ta flûte au petit roi dans l'étable, j'ai juré que tu ne rentrerais pas les mains vides. Je crois que c'est le petit roi qui m'a mis cette idée dans la tête. Maintenant, je retourne dans mon pays. Adieu, petit garçon. Je ne t'oublierai jamais.

– Au revoir, monsieur Melchior. Moi non plus, je ne vous oublierai jamais. Ni vous, ni le petit roi de l'étable ! »

– Et pour terminer la soirée, dégustons un petit morceau de mon fabuleux gâteau aux fruits, selon la recette du pudding anglais ! s'exclame Grand-Père.

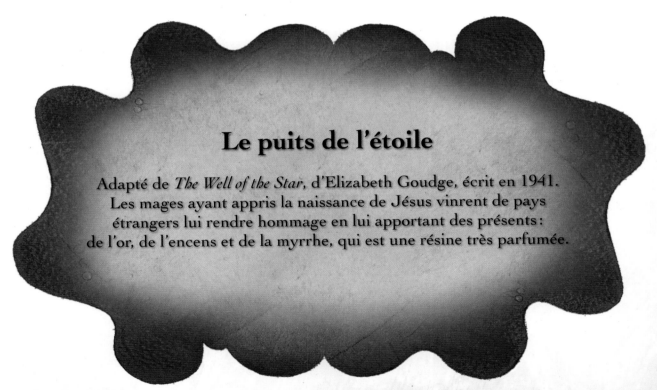

Le puits de l'étoile

Adapté de *The Well of the Star*, d'Elizabeth Goudge, écrit en 1941.
Les mages ayant appris la naissance de Jésus vinrent de pays
étrangers lui rendre hommage en lui apportant des présents :
de l'or, de l'encens et de la myrrhe, qui est une résine très parfumée.

*I*bereth, elfe du père Noël (Angleterre)
19 décembre

Aujourd'hui, Océane et Ulysse sont occupés à dessiner des cartes de Noël. Ils sont concentrés à appliquer les belles couleurs et à écrire en lettres d'or les vœux que Grand-Père enverra à ses amis et à la parenté.

– Derrière la porte de mon calendrier de l'avent, j'ai justement trouvé une belle lettre. Écoutez bien, mes petits-enfants, dit Grand-Père.

« Bonjour, je suis Ibereth, un elfe du père Noël. Beaucoup d'entre nous, les Elfes Verts et les Elfes Rouges, ont décidé de vivre dans la Maison de la Falaise, au pôle Nord, afin d'apprendre tout ce qu'il faut savoir sur l'art de l'emballage. Et hier, il nous est arrivé une drôle d'aventure :

– J'ai une idée ! s'exclame Ours Polaire. Je veux que ce soit une année record de distribution de cadeaux. Nous allons aider le père Noël de sorte qu'il soit en avance. Et ainsi nous pourrons nous-mêmes nous amuser le jour de Noël.

Scotch, scatch, scoutch !
– Attention, ça colle !
Scoutch !
– Oh non, tu as déchiré le papier. On recommence !

Nous travaillons dur ! Tous les cadeaux sont maintenant empaquetés et numérotés à temps. Nous sommes le 19 décembre. **Hi pip ! Hi pip ! Tout est finiiiiii !**

– Je suis fatigué ! annonce Ours polaire, à la fin de la soirée. Je vais prendre un bain chaud et me coucher tôt. Bonne nuit, les amis !

Le père Noël est occupé à jeter un dernier coup d'œil dans la Salle des cadeaux destinés à l'Angleterre. Tout à coup, aux alentours de dix heures du soir, **glop, glop, glop**! l'eau se met à couler à travers le plafond. **Glou, glou, gloup**!

– Alerte ! C'est l'inondation ! Il y a de l'eau partout ! Que se passe-t-il donc ?

Ours Polaire est tout simplement entré dans le bain et a oublié de fermer les robinets. Il s'est endormi, **ZZZzzzzzzzzZZZZ** ! pendant deux heures. Mais une de ses pattes a bouché le trou qui permet d'évacuer le surplus d'eau.

– Vite, Ours Polaire ! Réveille-toi ! crie le père Noël.

– Hein ? Quoi ? Qu'est-ce qui se passe ? Ah, c'est vous, mes amis ! Il s'étire de tout son long et l'eau coule de plus belle.

Floush, floush, floush !

– J'ai fait un rêve magnifique. Je plongeais d'un iceberg, **splok**, et je courais après les phoques. **Flic, flac, floc** ! **Glisse, glissons, glissades** !

– **Grrrrron, grrrrron, grrrrron,** grogne le père Noël, fâché.

– Vous ne croyez pas que c'est magnifique, père Noël ? Faites un dessin de mon rêve et demandez aux enfants si c'est drôle.

– Je dessine ! dis-je.

– **Ho ho ho** ! rigole enfin le bonhomme. Tu as raison, Ours Polaire. La situation est catastrophique, mais… très drôle. Et je rirai encore plus lorsque toi et tous les elfes, vous vous remettrez au travail. Finies les vacances ! Allez ! Réparez les dégâts.

Et voilà, nous devons refaire tous les paquets pour que le père Noël puisse faire sa distribution en Angleterre à temps ! »

– La première carte de Noël a été écrite par Sir Henry Cole, le directeur du musée Victoria and Albert à Londres, il y a plus de 125 ans, explique ensuite Grand-Père. Il n'avait pas eu le temps d'écrire à ses amis, alors il a demandé à un artiste de lui dessiner des cartes sur lesquelles il a écrit « Joyeux Noël et Bonne Année ». Et depuis ce temps, on trouve des cartes dans les magasins. Mais moi, je préfère les vôtres, mes petits-enfants. Merci de me faire ces belles cartes !

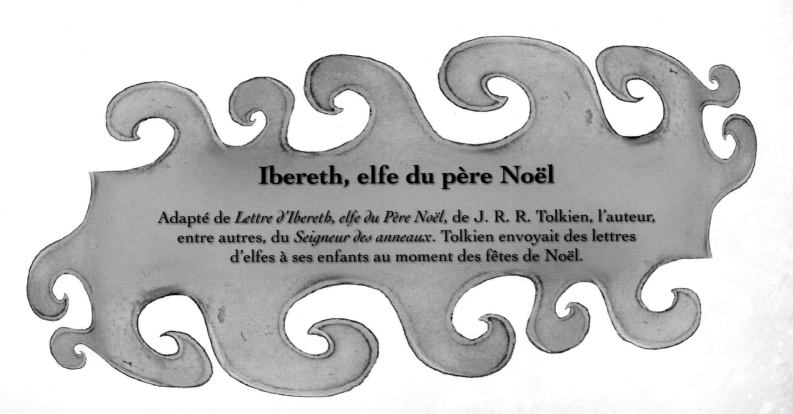

Ibereth, elfe du père Noël

Adapté de *Lettre d'Ibereth, elfe du Père Noël*, de J. R. R. Tolkien, l'auteur, entre autres, du *Seigneur des anneaux*. Tolkien envoyait des lettres d'elfes à ses enfants au moment des fêtes de Noël.

Les araignées de Noël (Suisse-Allemagne)
20 décembre

Aujourd'hui, Hadrien porte un drôle de chapeau. En fait, c'est une lanterne allumée qu'il tient sur sa tête. Il en a même attaché une sur la tête de Sacapusse. Grand-Père, tout étonné, lui demande ce qui se passe.

– **Ha, ha !** s'amuse le jeune conteur. C'est une tradition suisse, on appelle cela le défilé *Lifeltrager*. Pendant toute la semaine avant Noël, les enfants se déguisent et passent de maison en maison. Les voisins leur donnent un petit cadeau, soit une orange, soit du chocolat, soit un petit pain de sucre.

– **Hum !** Je vais te donner une petite histoire, si cela te convient ! répond Grand-Père en ouvrant la porte de son calendrier de l'avent.

« C'est le début de l'après-midi. La grande maison blanche est sens dessus dessous. La femme de ménage et la maman terminent le nettoyage pour que la maison resplendisse pour le grand soir.

– **Ouf !** soupire enfin la maman, un peu débordée par ses huit enfants.

Et elle se laisse tomber dans son fauteuil pour regarder le soleil disparaître entre les sapins. Toute la maison et ses habitants sont fiers du travail accompli. Toute la maison ? Pas vraiment. Dans le placard à balais où elles se sont réfugiées, chassées par les plumeaux et l'énergie de la femme de ménage, les araignées se désolent.

– Quelle horrible journée ! Qu'avons-nous donc fait pour être pourchassées de la sorte ? dit l'une d'elles, en agitant ses petites pattes.

– Traquées, anéanties, mais pourquoi donc ? se plaint une seconde.

– Il y a un mystère là-dessous ! Je propose que ce soir, quand tout le monde dormira, nous allions explorer la maison pour essayer de découvrir ce qui se passe.

Sa proposition est acceptée. Le temps, lentement, lentement, se traîne jusqu'au moment où, enfin, dans la maison retentissent les bruits des gens endormis : Zzzzz, ron, ron, ron ! Alors, en file indienne, petipattes petipattes petipattes, les araignées descendent jusqu'au salon. La porte est entrouverte. Le lampadaire de l'avenue projette sa douce lumière jusque dans la pièce.

– Ah ! quelle merveille ! Quelle beauté !

Les petites bêtes en sont figées. Au coin de la pièce, un sapin du vert le plus profond, décoré de mille splendeurs, s'élève jusqu'au plafond.

Des boules multicolores et dorées, des anges d'argent, des pommes brillantes, des noix, des biscuits et des bibelots pendent à ses branches, attachés par des fils d'or.

La première, la plus brave, sort de sa contemplation et se dirige vers l'arbre. Puis elle regarde ses sœurs.

Oseront-elles ? Oh que oui !

Avec douceur, pleines d'émerveillement, les petites araignées parcourent l'arbre dans tous les sens, **petipattes petipattes petipattes,** s'arrêtant sur une boule bleu acier, sur un petit soldat de papier, ou sur une aiguille odorante. Elles arrivent enfin au bout de leur chemin. Le roi de la forêt est maintenant recouvert de haut en bas d'un tissage de toiles grises.

À ce moment-là, on entend comme un grand vent dans la cheminée, **houhouhou !** et le père Noël apparaît, les bras chargés de paquets. **Ho ho ho !** Il aperçoit les petites araignées et les salue avec tendresse, puis il pose les cadeaux sous l'arbre. Mais en se relevant, le père Noël se rend compte du désastre.

– **Oh, là là !** La maman et ses enfants vont être tellement déçus demain en voyant cette catastrophe !

Il imagine les larmes de déception sur leurs visages. Non, il ne laissera pas faire ça. Il tend ses mains et d'un coup de sa magie de Noël, **flish, flash, floush** ! il modifie le travail des insectes velus. Un léger grésillement se fait entendre : **bizzzzz** !

Sous les yeux stupéfaits des araignées, l'arbre se métamorphose. Les fils si ternes et gris se mettent à briller comme des étoiles.

Alors, en file indienne, les petites araignées retournent vers le placard à balais, les yeux remplis de la lumière de Noël.

On dit que c'est depuis ce jour-là que de scintillantes guirlandes d'or et d'argent décorent tous les arbres de Noël. »

– Fourmi… dable ! s'amuse Hadrien en déposant sa lanterne.

– Ah non ! Pas d'araignée ni de fourmi dans ma maison ! rigole Grand-Père. Aide-moi plutôt à faire le ménage.

Les araignées de Noël

Adapté de « Les araignées de Noël »,
dans *Fêtes légendaires du Jura bernois*,
de Célestin von Hornstein,
Éditions Transjuranes, 1978.

Fille de Neige (Russie)

21 décembre

C'est aujourd'hui que les Russes choisissent la plus jolie fille de neige du pays. Océane attend le résultat avec impatience. Est-ce que son amie Olga sera élue pour accompagner Ded Moroz, le père Noël russe, dans sa tournée ? Cent fois, elle consulte ses courriels, mais toujours aucune nouvelle.

Pour la faire patienter, Grand-Père lui raconte l'histoire de la première fille de neige. Une histoire qu'il a trouvée dans son calendrier de l'avent, bien sûr.

« Père Frimas et Dame Belle-Source vivent ensemble depuis de nombreuses, nombreuses années, mais pour qu'ils soient parfaitement heureux, il leur manque quelque chose : un petit enfant.

Un jour d'hiver, la neige tombe à gros flocons soyeux : ploussh, ploussh, ploussh ! Le nez collé contre la vitre de sa maison, Dame Belle-Source regarde les enfants du village jouer dans la neige. Elle soupire en entendant leurs cris de joie : Youpi ! Hourra ! Yééééé ! Soudain, elle a une idée.

– Nous pourrions sculpter une petite fille avec de la neige, à la façon d'un bonhomme de neige. Qu'est-ce que tu en penses ? dit-elle à Père Frimas.

– Oui, pourquoi pas ! Ce sera amusant.

Dans la cour, devant leur maison, ils commencent à rouler, rouli, roulons une grosse boule de neige. Pendant des heures et des heures, ils sculptent, ajoutant ici de belles joues rondes, là un grand sourire et des yeux pétillants, de façon à faire ressembler leur sculpture à une vraie petite fille.

Mais déjà la nuit tombe. Père Frimas et Dame Belle-Source sont épuisés. Il est temps d'aller se coucher. Comme chaque nuit, ils rêvent qu'un jour, ils auront une petite fille comme l'enfant de neige qu'ils ont créé.

Le lendemain, dès le lever du jour, Dame Belle-Source regarde par la fenêtre. Mais où est donc passée leur sculpture de neige ?

– Vite, vite, Père Frimas ! Viens !

Ils sortent de la maison et découvrent une petite fille de neige en train de jouer avec leur chat. C'est la fille qu'ils ont sculptée la veille. Elle est vivante et ressemble à une jolie petite fille de dix ans.

– C'est un miracle ! s'exclame Dame Belle-Source.

– Bonjour Snegourotchka – ça veut dire Fille de Neige en russe – dit Père Frimas. Je suis ton papa et voici ta maman. Nous sommes tellement contents de te voir !

– Je sais, dit la petite en souriant. Vous aviez tellement envie d'avoir un enfant que vous m'avez donné la vie.

Fille de Neige commence donc à vivre chez eux. Ils forment une famille heureuse, comme les autres familles du village. La petite est très sage et gentille et se fait rapidement beaucoup d'amis. Fille de Neige met de la gaieté dans toute la maison, et l'hiver de Père Frimas et de Dame Belle-Source passe très vite.

Bientôt, le printemps est là et le soleil commence à réchauffer le village. Mais Fille de Neige est obligée de rester à la maison, car elle a peur de fondre. Elle est triste de ne pas pouvoir jouer avec ses amis. Le seul moment où elle peut sortir, c'est le soir, quand il fait assez froid ou quand il fait mauvais temps. Ses parents sont inquiets. Comment peuvent-ils l'aider à passer les belles saisons ? Il n'y a qu'une solution : ils doivent l'envoyer dans le royaume glacial de Grand-Père Gel. Elle ne pourra revenir au village qu'une fois l'hiver installé.

Pendant plusieurs années, Fille de Neige se rend donc dans le royaume glacial de son grand-père pour éviter que le regard du soleil se pose sur elle. Cependant, à la fin d'un hiver, alors que Fille de Neige vient d'avoir seize ans, ses parents discutent de son avenir.

– J'aimerais qu'elle soit libre de décider de sa vie ! dit Dame Belle-Source.

– J'ai tellement peur du soleil ! soupire Père Frimas.

Le printemps est de nouveau arrivé. Des jeunes filles du village invitent Fille de Neige à jouer avec elles avant qu'elle ne retourne dans le royaume de Grand-Père Gel. Elle se joint à elles pour cueillir des fleurs, chanter, la la la la lère, et danser avec les garçons du village. Elle se tient en retrait lorsque Lev, un berger, se met à jouer de la flûte : turlure, turlurette, toureloure ! Il la prend par la main et l'entraîne dans la danse : rigodou, rigodon, rigondaine !

À partir de ce jour-là, Lev vient la voir tous les jours. Il l'aime tendrement, mais **Fille de Neige** semble l'ignorer. Lev est triste et, pensant qu'elle ne l'aime pas, un soir, il ne vient pas dans la forêt. **Fille de Neige l'attend, l'attend, l'attend longtemps.** Puis, toute triste, elle rentre à la maison.

— Maman, je t'en supplie ! Donne-moi un cœur humain. Aimer, même pour un court instant, est plus précieux que la vie éternelle avec un cœur de glace, dit-elle.

Sa mère, tout émue, lui place alors une couronne de lys sur la tête.

— Prends garde cependant de te protéger du regard ardent du soleil.

Courant à travers les arbres, **Fille de Neige** s'en va trouver Lev à la bergerie pour lui déclarer son amour. **Chapadapada !** font leurs deux cœurs amoureux. Cependant, pendant qu'ils échangent leurs mots d'amour, le soleil monte dans un ciel sans nuages, dispersant les brumes et faisant fondre les dernières neiges. Un rayon de soleil tombe sur la jeune fille.

— Lev, je t'en prie, s'écrie **Fille de Neige**. Vite, joue un dernier air de flûte.

Turlure, turlurette, toureloure !

Ffffzzzzzz ! fait le corps de **Fille de Neige** en fondant, ne laissant sur le sol qu'une couronne de lys.

Petit à petit, le soleil éveille la terre glacée d'un doux baiser et donne naissance aux fleurs et aux plantes. Et Lev sait qu'il doit attendre que les neiges lui ramènent sa bien-aimée à l'hiver suivant. »

Enfin, le petit **ping** ! de la boîte de courriels d'Océane retentit. Elle ouvre vite sa messagerie.

– Oui, oui, oui ! fait-elle en dansant dans le salon. Olga a été choisie ! Bravo, mon amie !

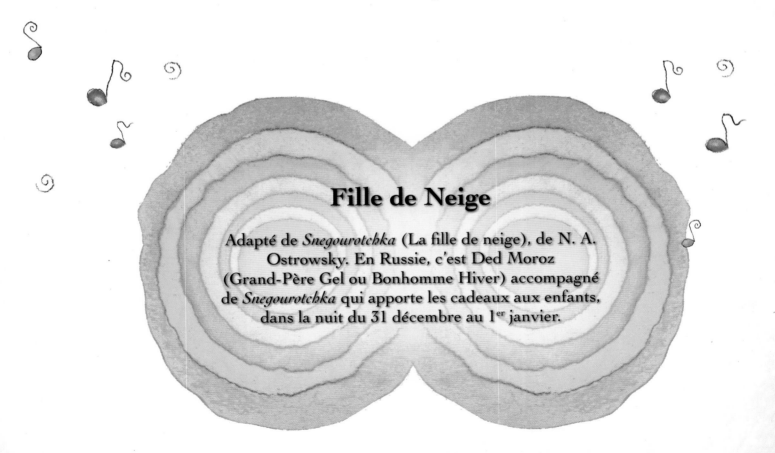

Fille de Neige

Adapté de *Snegourotchka* (La fille de neige), de N. A. Ostrowsky. En Russie, c'est Ded Moroz (Grand-Père Gel ou Bonhomme Hiver) accompagné de *Snegourotchka* qui apporte les cadeaux aux enfants, dans la nuit du 31 décembre au 1er janvier.

Les sabots du petit Loup (France)

22 décembre

Ce soir, Élie a très hâte de découvrir l'histoire qui se cache derrière la petite porte du calendrier de l'avent décorée de gui.

— C'est quoi le gui, Grand-Père ? demande-t-il.

— C'est une des plantes traditionnelles de Noël, elle fleurit en Europe. Les druides la récoltaient en disant : *O Ghel an Heu*, qui signifie « *Que le blé lève* ». Cela a donné l'expression « *Au Gui l'an neuf* » et au Québec, le mot guignolée.

— Tu en sais des choses, Grand-Père ! s'exclame Élie, avec admiration. Tu me racontes une histoire, maintenant ?

« C'est l'histoire d'un petit garçon de sept ans, nommé Loup, qui n'a plus ni maman ni papa. C'est sa vieille tante, une personne dure et grippe-sou, qui s'occupe de lui. La seule fois où elle embrasse Loup, c'est au jour de l'An. Smack ! Tous les autres jours, lorsqu'elle lui sert son repas, elle fait la grimace : beurk !

Mais Loup, lui, il l'aime bien malgré tout. Même si parfois, elle lui fait un peu peur, la tante Anna. Partout dans la ville, tout le monde connaît Anna. On dit même qu'elle est très riche. Cependant, lorsqu'elle envoie Loup à l'école, il est toujours habillé avec des vêtements usés, parfois déchirés. Et tout le monde se moque de lui.

— Qui craint le grand méchant loup ? C'est p't'être vous ! C'n'est pas nous ! Voyez comm' d'ailleurs on tient l'coup. Tra la la la ! Na ! se met-on à chanter lorsqu'il passe.

Loup est malheureux et pleure souvent dans son coin, surtout quand arrivent les fêtes de Noël, car il sait bien qu'il n'aura aucun cadeau.

Cette année-là, il fait très froid. Gla gla gla! tremblent les enfants. Depuis plusieurs jours, la neige ne cesse de tomber. Tous les écoliers sont chaudement emmitouflés, avec leurs bonnets enfoncés sur les oreilles, de bons foulards, de gros gants de laine et des bottines chaudes avec de solides semelles. Seul le petit Loup grelotte dans ses habits. Gla gla gla! À ses pieds, il n'a que de lourds sabots.

Encore une fois, tous les gamins de l'école rient de lui, mais il est trop occupé à souffler sur ses doigts pour les réchauffer pour répliquer.

– Qui craint le grand méchant loup? C'est p't'être vous! C'n'est pas nous! Voyez comm' d'ailleurs on tient l'coup. Tra la la la! Na!

Finalement, deux par deux, avec l'enseignant en tête, la petite troupe se met en route pour l'église du village. Aujourd'hui, ils vont voir l'exposition de crèches de Noël.

Il fait bon dans l'église, qui est toute resplendissante de chandelles allumées. Les enfants, excités, profitent de la musique pour bavarder en cachette.

– Ma mère m'a dit que pour Noël nous aurons une grosse dinde, dit l'un.

– Chez nous, mon père a déjà monté le sapin et il y a accroché des bonbons de toutes les couleurs, dit l'autre.

– Ma grand-mère m'a promis le meilleur gâteau du monde ! assure une troisième.

– Moi, ma mère m'a dit que le père Noël va me donner tous les jouets que j'ai demandés si je dépose mes souliers devant la cheminée avant d'aller au lit ! explique la quatrième.

Et patati et patata !

Petit Loup, lui, sait bien qu'il ira probablement se coucher sans souper, même s'il a été sage, a bien fait ses devoirs, et a même nettoyé toute la maison.

Pourtant, cette année, il espère que le père Noël ne l'oubliera pas une fois encore. Il a prévu de placer ses sabots devant le foyer, comme chaque année.

Après la visite, tous les enfants quittent l'église. Devant la porte, sur un banc de pierre, Loup aperçoit un enfant endormi. Il porte une robe de laine blanche et il est pieds nus.

« Hum ! se dit Loup. Ce n'est pas un mendiant. Sa robe est propre, elle a l'air neuve… »

Et l'enfant a un air tellement doux ; ses longs cheveux bouclés, d'un blond roux, semblent faire une auréole autour de sa tête. Mais les pieds de l'enfant, rendus bleus par le froid, font mal au cœur de Loup.

Les écoliers, si bien vêtus et bien chaussés, passent près de l'enfant inconnu, en restant indifférents. Quelques-uns font même une grimace en le voyant. Beurk !

Loup est tout ému devant l'enfant qui dort.

– C'est vraiment affreux de laisser ce pauvre petit sans chaussures par un temps si dur…
Il n'a même pas un soulier pour que le père Noël y dépose son cadeau ce soir.

Alors, **Loup** retire son sabot de son pied gauche et le pose devant l'enfant endormi.
Puis, clopin-clopant, il clopine jusque chez tante Anna.

– Vaurien ! s'écrie la vieille, avec fureur. Qu'as-tu fait de ton sabot, petit misérable ?

Loup ne sait pas mentir. Il tremble de terreur en voyant les yeux noirs de sa tante.
Il lui raconte son aventure, mais elle éclate de rire :

– **Ha, ha, ha !** Monsieur se déchausse pour les mendiants !
Voilà du nouveau ! Eh bien, si c'est ainsi, mets donc
ton autre sabot devant la cheminée, et on verra
bien si le père Noël y laissera quelque
chose. Et demain, tu n'auras que
de l'eau et du pain sec… Nous
verrons bien si la prochaine
fois, tu donneras encore tes
chaussures au premier
vagabond que tu vois !

Et elle envoie **Loup**
au lit, sans manger.
Désespéré, l'enfant se
couche dans l'obscurité
et s'endort sur son
oreiller trempé de larmes.

Mais, le lendemain matin, quand la vieille Anna, réveillée par le froid, descend dans son salon, oh, ah, merveille ! elle voit devant la grande cheminée plein de jouets étincelants, de magnifiques sacs de bonbons, des richesses de toutes sortes. Et à côté de ce trésor, le sabot gauche que Loup a donné au petit vagabond, tout à côté du sabot droit qu'elle avait mis là et dans lequel elle s'en allait glisser une poignée de clous.

Aux cris de sa tante, oh, ah, merveille ! qui s'exclame devant les splendides présents de Noël, Loup se précipite à son tour dans le salon.

Mais voilà que de grands rires éclatent au-dehors. Ha, ha, ha, haaaaaa ! La femme et l'enfant sortent pour savoir ce qui se passe. Les voisines sont réunies sur la place du village. Beaucoup rigolent. Ha, ha, ha, haaaaaa ! Les garnements ont été punis. Mais d'autres mamans et papas se désolent. Que se passe-t-il donc ? Oh ! une chose bien extraordinaire ! Tous les enfants qui se vantaient et croyaient recevoir les plus beaux cadeaux, mais qui avaient été très méchants avec Loup, n'ont trouvé que des clous dans leurs souliers ce matin.

Alors, le petit garçon et la vieille femme songent à toutes les richesses qui sont devant leur cheminée et commencent à prendre peur. Va-t-on les accuser de les avoir volées ?

Tout à coup arrive un homme qui paraît bouleversé.

— Au-dessus du banc placé près de la porte de l'église, à l'endroit où hier un enfant vêtu d'une robe blanche et pieds nus malgré le grand froid avait posé sa tête ensommeillée, je viens de voir un cercle d'or, incrusté dans les vieilles pierres ! s'écrie-t-il.

En entendant cela, tous comprennent que ce bel enfant endormi était sûrement le petit Jésus, redevenu pour un instant l'enfant qu'il était autrefois.

Anna dit alors à **Loup** que c'est sûrement cet enfant qui l'a remercié de lui avoir donné un de ses sabots et qui lui a apporté les beaux cadeaux qui sont dans le salon. »

Le carillon de la porte d'entrée résonne. Grand-Père et Élie se hâtent d'ouvrir. Ce sont des enfants qui ramassent des denrées pour les paniers de Noël. Élie s'empresse de donner de la nourriture, mais aussi des jouets neufs et des livres pour que les jeunes qui ont moins de chance que lui passent aussi un beau Noël.

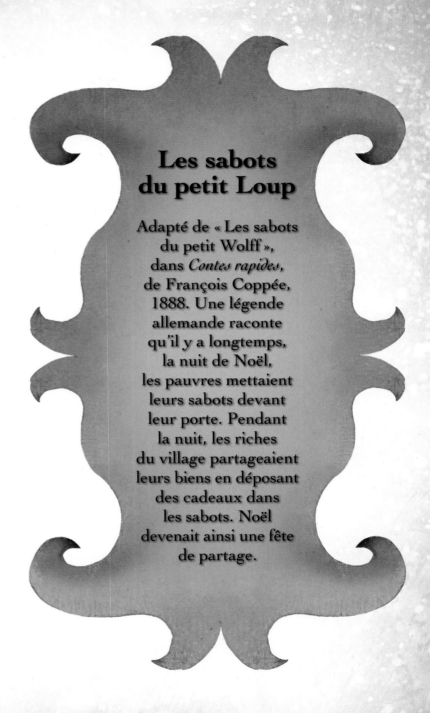

Les sabots du petit Loup

Adapté de « Les sabots du petit Wolff », dans *Contes rapides*, de François Coppée, 1888. Une légende allemande raconte qu'il y a longtemps, la nuit de Noël, les pauvres mettaient leurs sabots devant leur porte. Pendant la nuit, les riches du village partageaient leurs biens en déposant des cadeaux dans les sabots. Noël devenait ainsi une fête de partage.

Le Noël des joujoux (Belgique)
23 décembre

Ce soir, Grand-Père a réservé une petite surprise à Hadrien et Sacapusse. Le vieil homme fait des crêpes ; mais pas n'importe lesquelles, des *boukètes*, selon la tradition belge. Pendant que les crêpes cuisent dans le beurre bien chaud, Grand-Père en profite pour raconter le conte de Noël du jour.

« Depuis deux jours, le marchand Gabarus déballe ses caisses. Vite, vite, vite ! Les jouets doivent être tous installés dans le magasin et présentés dans les vitrines.

Parmi eux, un petit astronome à la barbe jaune, au petit chapeau pointu et à la longue robe saupoudrée d'étoiles, suit des yeux l'aiguille de l'horloge. Ding, ding, ding !

Coucou, coucou, coucou ! fait enfin le petit oiseau en sortant de sa cachette.

C'est que les soldats de plomb, les poupées belles comme des fées, les polichinelles, Arlequin et même les petits diablotins ne sont pas des jouets comme les autres. Ils ne sont pas destinés à rester sur les étagères, mais plutôt aux petites mains roses des enfants, pour Noël. Pantins et poupées sont tous très anxieux de savoir qui les emportera.

Dans toute la boutique, une émotion joyeuse fait craquer les marionnettes de bois, crounch, crounch, crounch ! Le bleu azur des yeux des poupées brillent et tournent au moindre bruit. Polichinelle se tortille, les chevaux agitent leurs crinières, hiiiii, hiiiii ! et les trains lancent leur tchou, tchou, tchou ! en attendant de se mettre en route.

Chaque fois qu'un enfant vient coller son petit nez rouge contre la vitrine, les jouets s'agitent. Sous son masque, Arlequin fait des grimaces, pendant que les petits chiens en peluche trépignent dans leur boîte de carton : waf, waf, waf ! Les belles princesses font des révérences et les soldats se mettent tous au garde-à-vous. Jusqu'aux ailes des moulins qui se mettent à tourner doucement. C'est que pour les jouets, un sourire d'enfant, c'est encore plus chaud que le soleil, plus doux que la plume d'un oiseau.

Mais attention, tout ce petit monde passe aussi son temps à se surveiller. Les belles poupées en robe de satin trouvent que Colombine pourrait s'habiller un peu mieux, et surtout elles se demandent de qui cette petite servante se moque sous son masque noir.

Teuf teuf teuf ! soupirent les voitures de course en regardant les charrettes tirées par des ânes ou des bœufs. Quant aux carrosses tirés par des chevaux fougueux, ils ne supportent pas d'être sur la même étagère que les tramways. Un général d'armée regarde de haut le petit ramoneur au visage noirci. Quant au lion à la grosse crinière blonde, il bâille d'ennui, rrrouar ! en dévisageant les petits chats dans leur panier.

Tout à coup, dans la ferme, un coq se met à chanter : cocorico, cocorico, cocorico ! C'est que la porte de l'horloge vient de s'ouvrir et que le coucou montre le bout de son nez : Coucou, coucou, coucou ! fait-il pour indiquer l'heure.

C'est l'heure ! L'heure d'ouvrir les portes du magasin et de laisser entrer les petits enfants pressés de découvrir ces beaux joujoux. Mais il est encore très tôt et pour le moment, il n'y a pas d'enfants, seulement de vieux messieurs et de vieilles dames au nez rougi par le froid. Les poupées se détournent de ces pauvres gens qui ne méritent sûrement pas de toucher leurs belles robes de satin. Les petits bergers et les paysannes, eux, se tendent avec impatience vers les mains qui s'apprêtent à les saisir. Et ainsi, en moins de deux heures, la boutique de Gabarus est aux trois quarts vidée de ses joujoux les moins onéreux. Bientôt, les gens riches vont arriver et emporter les beaux soldats, les rois et les belles princesses, les grands châteaux forts et les maisons de poupées.

Soudain, juste avant la fermeture des portes de son magasin pour ses deux semaines de vacances, le marchand voit s'arrêter une belle voiture de laquelle descend une jolie dame tenant par la main une magnifique petite fille blonde.

Hmm ! Elles en font des contorsions et des mines les poupées pour être remarquées… Mais la petite fille passe devant elles sans même les regarder ; c'est que ses yeux sont tombés sur un vieux pantin abandonné dans un coin.

– Maman, je veux le vieux pantin ! dit l'enfant. Il sera bien chez nous. Il aura chaud et il ne manquera plus jamais de rien.

Entendant cela, les belles poupées ouvrent des yeux de hiboux. Jamais, jamais, elles ne se seraient attendues à être traitées de la sorte. Quelle humiliation ! Elles qui se croyaient trop belles pour les enfants moins riches, eh bien, elles resteront sur les étagères avant de retourner dans leur caisse jusqu'au Noël prochain… »

– Miam ! Merci Grand-Père, pour la crêpe et pour l'histoire, fait Hadrien, en dégustant sa *boukète*, à base de farine de sarrasin, parsemée de raisins secs, de rondelles de pommes et de sucre fin.

– Mouf ! approuve Sacapusse, en dévorant la sienne.

Le Noël des joujoux

Adapté de « La nuit de Noël », dans *Bébés et joujoux*, de Camille Lemonnier, J. Hetzel éditeur, 1879.

En Belgique, les enfants reçoivent aussi en cadeau des cognous (ou cougnolles ou coquilles, selon la région) qui sont des petits pains briochés en forme de petit Jésus emmailloté.

La visite du père Noël (États-Unis)
24 décembre

Toute la famille est réunie chez Grand-Père. Élie et ses parents, Océane, Ulysse et leurs parents, et bien entendu Hadrien et Sacapusse.

Ce soir, c'est la fête. On déguste la bonne nourriture préparée par Grand-Père, on chante des chansons, on fait des jeux, on s'exclame devant les belles décorations. Mais avant d'ouvrir les cadeaux… il faut écouter la dernière histoire du calendrier de l'avent. Hadrien ouvre la porte, retire lentement le petit rouleau de papier et se met à conter :

« C'est la nuit de Noël, un peu avant minuit. Tout est calme. **Gnott, gnott, gnott !**, même les souris essaient de ne pas faire de bruit. Les bas sont accrochés devant la cheminée.

Maman a fermé la dernière lumière de la maison et je viens d'aller me coucher.

Mais, tout à coup, au dehors, un bruit de clochettes, **cling, cling, cling !** me fait sortir d'un coup de sous ma couette.

Filant comme une flèche vers la fenêtre, **flechhhh !** je scrute tout là haut le ciel rempli d'étoiles.

Au-dessus de la neige qui tombe doucement, la lune étincelante illumine la nuit. Et soudain… Je n'en crois pas mes yeux ! Au loin apparaissent un traîneau et des rennes dirigés par un personnage enjoué.

Ho ho ho ho ! C'est le père Noël !

Ses rennes volent comme s'ils avaient des ailes. **Vole, volons, volant, voltige !**

Et lui, il chante pour les encourager :

– **Allez Tornade ! Allez Danseur ! Allez, Furie et Fringant ! En avant, Comète et Cupidon ! Allez, Éclair et Tonnerre ! Rodolphe, indique-nous le chemin ! Tout droit vers cette entrée, tout droit ! Au galop, ho ho ho hop ! Au galop mes amis ! Au triple galop, ho ho ho hop !**

Aussitôt, les rennes passent au-dessus de ma tête, avec le traîneau, les jouets et le père Noël qui rigole. **Ho ho ho !**

Peu après, **toc toc toc toc !** oh ! mais qu'est-ce que c'est ?

Qu'est-ce que j'entends résonner sur le toit de la maison ?
Le piétinement fougueux des petits sabots. **Sab**o**ti, sab**o**to, sab**o**tou !**

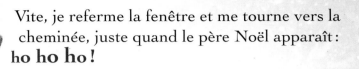

Vite, je referme la fenêtre et me tourne vers la cheminée, juste quand le père Noël apparaît : **ho ho ho !**

Il porte son bel habit rouge, ses bottes et son bonnet, et sur son épaule, un sac plein de jouets. Il a des joues roses, un nez comme une cerise, des yeux pétillants, une petite bouche qui sourit tout le temps, et une très grande barbe d'un blanc vraiment… euh, très blanc !

Il a le visage épanoui, et son ventre tout rond tressaute quand il rit : **ho ho ho !** Il est tellement drôle que je ris à mon tour. **Hi hi hi !**

D'un clin d'œil et d'un signe de la tête, il me fait comprendre que tout va bien.

Sans dire un mot, car il est pressé, il se hâte de remplir les bas jusqu'au dernier.
Puis il me salue d'un doigt posé sur ses lèvres, **chuuttt !** avant de disparaître par la cheminée.

Quelques secondes plus tard, je l'entends encourager son bel équipage :

– **Allez Tornade ! Allez Danseur ! Allez, Furie et Fringant ! En avant, Comète et Cupidon ! Allez, Éclair et Tonnerre ! Suivez tous Rodolphe qui nous indique le chemin !**

Ensemble, ils s'envolent comme une plume au vent :
sssssshoou sssssshoou sssssshoou !

Mais avant de disparaître dans le ciel, le père Noël lance à tous ses meilleurs vœux :

– Joyeux Noël à tous et une bonne nuit ! »

– Joyeux Noël ! lance Grand-Père.

Et toute la famille reprend en chœur :

JOYEUX NOËL À TOUS!

La visite du père Noël

Adapté de *La nuit avant Noël* de Clement Clarke Moore
(publié pour la première fois dans le journal *Sentinel*, de Troy,
État de New York, le 23 décembre 1823).

Depuis 1983, H0H 0H0 est le code postal utilisé
par Postes Canada pour acheminer le million de lettres
annuelles destinées au père Noël.

En Afrique du Sud, ce dernier s'appelle Kersvader
ou Santa Claus ; en Albanie, Grand-père Noël ou Grand-père
Hiver ; au Brésil, Bon Vieil Homme ; au Chili, Viejito Pascuero
(Vieil Homme de Noël) ; en Chine, Le Vieillard Shengdan ;
au Danemark, Julemanden ; en Finlande, Joulupukki ;
en Inde, le Vieil Homme de Noël ; en Irlande, Daidí na Nollaig
(Père Noël) ; au Japon, Monsieur Noël ; en Mongolie,
Grand-père de l'hiver ; en Russie, Papy Gel ou
Grand-Père Gel ; en Turquie, Noël Noël ; au Vietnam,
Le Vieil Homme de Noël…